汉语视听说教材系列

中国电影欣赏
WATCHING THE MOVIE AND LEARNING CHINESE

FAREWELL MY CONCUBINE

霸王别姬

王向晖　余文青　编著

盖梦丽　英译

北京语言大学出版社
BEIJING LANGUAGE AND CULTURE
UNIVERSITY PRESS

图书在版编目（CIP）数据

中国电影欣赏：霸王别姬 / 王向晖，余文
青编著. —北京：北京语言大学出版社，2011 重印
（汉语视听说教材系列）
ISBN 978-7-5619-2315-3

Ⅰ. 中… Ⅱ. ①王…②余… Ⅲ. 汉语—听说教学—对外
汉语教学—教材 Ⅳ. H195.4

中国版本图书馆 CIP 数据核字（2009）第 070608 号

书　　名：	中国电影欣赏：霸王别姬
责任印制：	姜正周

出版发行：北京语言大学出版社
社　　址：北京市海淀区学院路 15 号　　邮政编码：100083
网　　址：www. blcup. com
电　　话：发行部　82303648 / 3591 / 3651
　　　　　编辑部　82300090
　　　　　读者服务部　82303653 / 3908
　　　　　网上订购电话　82303668
　　　　　客户服务信箱　service@ blcup. net
印　　刷：北京联兴盛业印刷股份有限公司
经　　销：全国新华书店

版　　次：2009 年 5 月第 1 版　2011 年 1 月第 2 次印刷
开　　本：787 毫米×1092 毫米　1/16　印张：6
字　　数：101 千字
书　　号：ISBN 978-7-5619-2315-3/H·09054
定　　价：43. 00 元（图书 18. 00 元, DVD 25. 00 元）

凡有印装质量问题，本社负责调换。电话：82303590

编写说明

从外语学习和教学的角度来看，电影不仅语言真实自然，而且剧情引人入胜，反映社会现象，体现文化内涵，因此，电影视听教学是深受欢迎的一种课型。对外汉语教学界也普遍使用中国电影进行汉语视听教学，但是，由于种种原因，目前根据中国电影编写出版的视听教材却是凤毛麟角，各个学校大都是使用为中国人出版的光盘进行电影视听教学，学习材料简单，教学也不够规范。为了适应教学需求，北京语言大学对外汉语教材研发中心选择汉语教师广泛使用、外国学生普遍欢迎的一些中国电影，组织编写出版这套中国电影视听教材。

这套中国电影视听教材采取一部电影一本教材的模式编写，目的是让教师有充分的选择和组合的自由。由于一部电影一般长度都在90分钟以上，为了不占用有限的课堂教学时间，建议在课前让学生自己先完整看一遍电影。课堂教学部分为4-6课时，选择电影的几个片段，详加注解，设计练习，编为教材。至于课堂教学以外的内容，为了便于学习者理解、欣赏，除了DVD提供英文字幕以外，教材也提供了附有生词翻译和语言点注释的电影文本，建议学习者课后自学。

教材的配套DVD是专门为教材重新制作的，包含"欣赏版"和"教学版"。"欣赏版"是全剧的完整播放，所有中文字幕都经过认真的校对；"教学版"则是所选教学内容的重新剪辑，课堂教学只需要播放"教学版"，专门为教材设计的教学环节都体现于其中，不仅方便了教学，而且充分利用了录像。需要说明的是，由于技术问题，某个教学环节播放结束之后，画面只能短时暂停，需要教师按播放器的暂停键，以长时暂停。

这套中国电影视听教材分为两个等级，一是初中级，选择反映当代中国人生活的电影，侧重语言教学，如《洗澡》；二是中高级，选择反映中国文化的电影，兼重文化教学，如《霸王别姬》。每本教材都有具体的适用水平的介绍。

电影《霸王别姬》上映于1993年，曾荣获第四十六届戛纳国际电影节最佳影片金棕榈奖等多项大奖。教学版选取8个片段，总长度约为34分钟，建议教学课时为8学时，适合掌握3000汉语常用词语的学习者使用。

北京语言大学

对外汉语教材研发中心

目 录

Contents

导　视

背景介绍

　　这部电影里的故事发生在20世纪20年代到70年代的北京。程蝶衣从小被卖到京戏班学唱男旦，对舞台上和生活中自己的身份是男是女产生了混淆之感。师兄段小楼跟他感情极深，兄弟二人因合演《霸王别姬》而成为红极一时的京剧名角。程蝶衣内心十分依恋师兄，但是段小楼娶了妓女菊仙为妻。在"文化大革命"时期兄弟二人又被迫互相出卖。生活的磨难使程蝶衣对感情和毕生的艺术追求感到非常失落，终于在再次跟段小楼排练节目时自刎于舞台上。

　　这部电影荣获第四十六届戛纳国际电影节最佳影片金棕榈奖等多项大奖。影片通过中国文化积淀最深厚的京剧艺术及其艺人的生活，细腻地展现了对传统文化、人的生存状态及人性的思考与领悟，更通过剧中人物的悲欢故事将半个世纪的中国历史展现出来。

主要人物

程蝶衣：京剧名角，小时叫"小豆子"

段小楼：京剧名角，小时叫"小石头"

菊　仙：段小楼的妻子

那　坤：戏园老板

袁世卿：有权有势，爱好京剧，人称"袁四爷"

关师傅："喜福成"戏班班主，程蝶衣和段小楼的师傅

小　四：程蝶衣在街上捡来的孩子，后被程蝶衣收为徒弟

Introduction

Background

The movie is set in 1920s ~ 1970s in Beijing. Cheng Dieyi is sold to a Beijing opera troupe to learn the performance of "nandan" (a female character acted by a male performer) since he is very young. As he always acts female on the stage, he gets confused about his true identity as a male in daily life. He has deep affection for his brother apprentice Duan Xiaolou and they win immediate fame in the circle after their excellent joint performance of *Ba Wang Bie Ji (Farewell My Concubine)*. Cheng gets more and more attached to Duan, but Duan marries Juxian (a prostitute). And during the Cultural Revolution, the two brothers are forced to betray each other. In the end, Cheng feels so lost in his pursuit of love and art in the upheaval of the society that he commits suicide when rehearsing on the stage with Duan Xiaolou.

This film won the Golden Palm Award for best movies in the 46th Cannes Film Festival and some other awards. It explores Chinese traditional culture, observes and meditates on the state of living and human nature by featuring culture-loaded Beijing opera and the life of its performers. With the portrayal of the complex relationship between the characters, the movie also presents the drastic political changes in China in half century.

Main characters

Cheng Dieyi	famous Beijing opera performer, named Xiaodouzi (little bean) in his childhood
Duan Xiaolou	famous Beijing opera performer, named Xiaoshitou (little stone) in his childhood
Juxian	wife of Duan Xiaolou
Na Kun	the boss of the theater
Yuan Shiqing	a man with distinguished power, fond of opera, referred to as "Yuan Siye"
Master Guan	boss of the Beijing opera troupe named Xifucheng, master of Cheng and Duan
Xiaosi	a boy retrieved by Cheng on the street, and later is apprenticed by Cheng

01

学 戏
Apprenticeship

喜福成戏班有一群从小被卖到戏班学京剧的孩子。关师傅是戏班的老板，小石头是大师兄。小豆子也被妈妈送进了戏班。孩子们每天在师傅们的打骂下学戏。小豆子要演旦角，可他总想着自己是个男人，不管师傅打得多厉害也改不了。小石头总是关心、照顾小豆子，在艰难的学戏过程中，两人的友谊越来越深。

The opera troupe Xifucheng has taken a lot of boys who are sold there as apprentice. Master Guan is the boss of the troupe and Xiaoshitou is the oldest brother apprentice. Xiaodouzi is also sent to this troupe by his mother. Those boys learn how to perform under the rigorous and often torturous training of the masters. Xiaodouzi is trained to act female, but he cannot forget that he is a boy, so he is often beaten heavily by his master. Xiaoshitou always takes care of Xiaodouzi whenever Xiaodouzi is punished. In the process of learning under such harsh conditions, Xiaodouzi and Xiaoshitou develop an intimate friendship.

京 剧
Beijing Opera

京剧是一门综合性的表演艺术，是世界三大表演艺术体系之一。京剧有200多年的历史，是中国最大的戏曲种类。京剧以西皮、二黄为基本腔调，表演形式有：唱、念、做（表演）、打（武打）。"唱"是歌唱，歌唱在京剧中占主要地位。表演时，只说不唱称作"念"。"做"是表演。京剧的表演不同于话剧等，讲究以虚代实，比如，手一推，就代表着打开门。"打"是武打，京剧的打，不是武术表演，也不是杂技，而是揭示人物性格的一种手段。京剧的表演"无声不歌，无动不舞"，不管是"唱"还是"念"都具有音乐性，不管是"做"还是"打"都具有舞蹈性。

京剧根据剧中人物的性别、年龄、身份、地位以及性格把角色分为生（扮演男子）、旦（扮演女子）、净（扮演威猛的男子）、丑（扮演滑稽的人）四类。在中国古代，女子是不许登台演戏的，于是男人演女人就成了一个不得已的选择。到了20世纪上半期，出现了梅兰芳等四大名旦，京剧男旦发展到高峰。

京剧演员表演时，某些演员（主要是"净"）脸上用夸张的色彩和变形的图形来展示角色的性格特征，这叫"脸谱"，演员在脸上画脸谱叫"勾脸"。脸谱是中国戏曲独有的化妆，是中国传统文化的代表之一。

生

旦

净

丑

Beijing opera is an integrated performing art and one of the three great performing systems in the world. It boasts a history of 200 years and is the biggest kind of opera in China. Beijing opera takes "xipi" and "erhuang" as its basic music patterns. The performance includes *chang*(singing), *nian*(recitation), *zuo* (acting) and *da*(fighting). *Chang* plays a major role in Beijing opera. If one only "speaks" without singing, it is called *nian*. *Zuo* means acting. Beijing opera is different from modern drama. It uses mime to represent real acts. For instance, you mime the act of pushing with your hands to express the meaning of "pushing the door open". *Da* means fighting, but the fighting in Beijing opera is not equal to martial arts or acrobatic fighting. It is, instead, a way to disclose the disposition of the characters. The performance of Beijing Opera is permeated with singing and dancing, *chang* and *nian* being highly musical, and *zuo* and *da* performed with dancing.

In Beijing opera, the roles can be divided into four types according to their gender, age, status and characters. They are *sheng* (male), *dan* (female), *jing* (tough male with painted face), *chou* (clown). In ancient times, women were not allowed to act on stage, so the female characters had to be acted by men. The early half of 20th century saw the rising of "Four Great *Dan* actors" led by Mei Lanfang, which marked the highest development of Beijing opera.

Before performing, some actors' (mainly *jing*) faces are painted in rich colors and with strange patterns to show their personalities. This is called *lianpu* (mask). To paint their face is called *goulian* (facial painting). Beijing opera mask is a unique way of make-up in Chinese operas and one of the important symbols of Chinese traditional culture.

《思凡》

Missing Worldly Happiness

《思凡》原是昆曲（也叫"昆腔"）剧目，后来京剧也常表演。内容是小尼姑赵色空忍受不了尼姑庵的寂寞，向往普通人的婚姻生活，最后逃离尼姑庵，还俗去了。

"男怕《夜奔》，女怕《思凡》"是昆曲界的一句行话，因为《夜奔》和《思凡》都是全剧只有一个角色，表演难度很大。

Missing Worldly Happiness is originally a play in Kunqu opera (also called "Kunqiang"), and later it is also performed in Beijing opera. The story is about a young nun named Zhao Sekong, who cannot stand the loneliness of the nunnery and goes over the wall to live a secular life.

That "A male is afraid of acting *Fleeing by Night* and a female is afraid of acting *Missing Worldly Happiness*" is a well-known saying in the scene of Kunqu opera. The two plays pose a great challenge for the actors for there is only one role in the whole play.

历史注释 Historical notes

楚汉相争

The War Between Chu and Han

秦朝（公元前221-公元前206年）末年，统治残暴，农民纷纷起义，于公元前206年推翻了秦朝。其中，中国历史上的著名英雄项羽英勇善战，功劳最大。自公元前206年开始，西楚霸王项羽与汉王刘邦之间为了争夺天下，展开了将近四年的战争，历史上称为"楚汉相争"。最后，汉军用十面埋伏之计，把楚军包围在垓下（今安徽省境内）。汉军夜里唱楚歌，项羽听到后，以为楚国已经被汉军占领，非常绝望。为了让项羽逃走，项羽的妻子虞姬拔剑自杀。但是，项羽最后还是被汉军包围在乌江边，自杀而死。

At the end of Qin Dynasty (221-206 B.C.) farmers revolted in succession against the tyrannical governance and finally overthrew Qin Dynasty in 206 B.C. Among the rebels, Xiang Yu made his name in history for his bravery and fighting spirit. Since 206 B.C. Xiang Yu, king of Western Chu fought with Liu Bang, King of Han, for the control of the country and the war lasted almost four years, which is called "the War Between Chu and Han" in history. Finally, the Han army set an ambush on all sides, and surrounded the Chu army in Gaixia (a place in the Anhui province). At night, the surrounding Han troops started to sing Chu folk songs. When Xiang Yu heard the singing, he thought that Chu had been totally occupied by Han and got desperate. Afraid of dragging him down, Xiang Yu's wife Yu Ji took out the sword and killed herself. But Xiang Yu was still surrounded by the Han troops along Wujiang River and committed suicide in the end.

老佛爷

Laofoye

"老佛爷"是清代对皇太后或太上皇的俗称。这里指慈禧太后。慈禧太后生于1835年，死于1908年，终年74岁，是清朝末年同治、光绪两个皇帝年代的实际掌权者，在中国近代史上发生过很大的影响。慈禧太后很喜欢看京剧，非常懂戏。

Laofoye is a title of respect for the queen mother or emperor's father in Qing Dynasty. Here it refers to queen mother Cixi. Cixi was born in 1835 and died in 1908 at the age of 74. She was the real power behind the throne of emperor Tongzhi and Guangxu and exerted great influence on China's modern history. Cixi was very fond of Beijing opera and had an ear for it.

生词 New words and expressions

1	无敌	wúdí	(动)	unmatched; invincible
2	盖世	gàishì	(动)	unparalleled; matchless
3	横扫	héngsǎo	(动)	to sweep across or over; to sweep away
4	帅	shuài	(动)	commander-in-chief
5	成全	chéngquán	(动)	to help one achieve his aim
6	十面埋伏	shí miàn máifú		ambush from ten sides
7	能耐	néngnài	(名)	ability; capability
8	天命	tiānmìng	(名)	destiny; fate
9	风云一世	fēngyún yí shì		sb. was the hero of his time
10	斟	zhēn	(动)	to pour (tea or wine)
11	而后	érhòu	(连)	thereafter; subsequently
12	自刎	zìwěn	(动)	to cut one's throat
13	委	wěi	(动)	to entrust; to appoint
14	抬举	táiju	(动)	to favor sb.
15	年下	niánxia	(名)	(coll.) the Lunar New Year
16	公公	gōnggong	(名)	a form of address for a court eunuch
17	主儿	zhǔr	(名)	person of a specified type
18	糊弄	hùnong	(动)	to fool; to deceive
19	灵	líng	(形)	efficacious; effective
20	脸面	liǎnmiàn	(名)	self-respect; sb.'s feelings
21	囚	qiú	(动)	to imprison
22	请安	qǐng ān		to pay respects to sb.
23	身段	shēnduàn	(名)	(dancer's) posture
24	底儿	dǐr	(名)	foundation
25	出	chū	(量)	*a measure word for operas or plays*

语言讲解　Notes on language points

1　楚霸王，何许人也？

"何许"，书面语，何处。"何许人"，原指什么地方的人，后来也指什么样的人。"也"，书面语中用在句末表示疑问语气。例如：

"何许", used in written Chinese, means "where". "何许人" is originally used to ask a person where he comes from. It also means "what kind of person". "也" is used at the end of a sentence to convey an interrogative tone of voice in classical Chinese. For example,

（1）先生不知何许人也？

（2）鲁迅是何许人？

2　可老天却偏偏不成全他。

"偏偏"，副词，表示故意跟外来要求或客观情况相反。例如：

"偏偏", an adverb, is used to indicate a situation that turns out just the opposite of what one would expect or what would be normal. For example,

（1）我妈真不了解我，我不爱做的事偏偏要我做。

（2）好不容易找到了他，他偏偏又要去出差。

3　人纵有万般能耐，可终也敌不过天命啊！

"纵"，连词，书面语，即使，表示让步，一般与单音节动词连用。例如：

"纵", a conjunction, means "even if" in written Chinese, expressing concession. It is usually used together with monosyllabic verbs. For example,

（1）他出拳太快，我纵有准备，也没有躲过去。

（2）纵不能像你一样成功，也要始终向你学习。

4　那霸王风云一世，临到头就剩下一个女人和一匹马还跟着他！

"临"，将要，快要。"到头"到了尽头。例如：

"临" means "approching (the end)". "到头" means "in the end ". For example,

（1）大家都说要参加他们的婚礼，可临到头却没能来几个人。

（2）许多年轻人渴望婚姻，但临到头却患上了恐婚症。

5　有点儿昆腔的底儿没有啊？

在口语中，"A不A"、"A没A"问句可以把"不A"或"没A"放在句末。例如：

In oral Chinese, the patterns of "A不A" and "A没A" in question sentences can be expressed in other forms, in which "不A" or "没A" can be placed at the end of the sentences. For example,

（1）出国的人都回来找工作了，你现在还想不想出国了？

　　出国的人都回来找工作了，你现在还想出国不想了？

（2）还敢不敢打人家伤兵哪？

　　还敢打人家伤兵不敢哪？

6　我叫你错！我叫你错！

这里"叫"的意思是"使，让"，"我叫你……"是表示愤怒或强烈不满时说的话，一般是一边反复地说，一边打骂别人或进行摔打等破坏行为。也说"我让你……"。例如：

The pattern "我叫你...", meaning "how dare you do...", is used to express an outrage or a strong dissatisfaction of the speaker. It is often spoken repeatedly while beating or cursing someone or damaging something. It has the same meaning with "我让你...".

（1）我叫你逃跑！我叫你逃跑！把你的腿打断，看你怎么逃跑！

（2）这么小就学抽烟？我叫你抽！我叫你抽！

视听说练习　Exercises based on the video

看第一遍，做练习
Watch the video for the first time and do exercises

判断对错　True or false

1. 楚霸王的军队因为想家，唱了一宿的楚歌。　　　　（　　）
2. 楚霸王带着他的女人骑马逃跑了。　　　　　　　　（　　）
3. 那坤到喜福成戏班是为了订戏。　　　　　　　　　（　　）
4. 因为那坤很忙，所以没听完小豆子的戏就要走。　（　　）
5. 小豆子最后把戏词唱对了。　　　　　　　　　　　（　　）

看第二遍，做练习
Watch the video for the second time and do exercises

一　选择与画线部分意思最接近的词语

Choose the answer that best reflects the meaning of the underlined words

1. 那天晚上，刮着大风，刘邦的兵<u>唱了一宿</u>的楚歌。

　　A. 整夜唱歌　　　　B. 在宿舍唱歌　　　　C. 在风中唱歌

2. 楚国的人马一听，以为刘邦占了楚地，都<u>慌了神了</u>，跑光了。

　　A. 伤心　　　　　　B. 失望　　　　　　　C. 害怕

3. 人纵有万般能耐，可终也<u>敌不过</u>天命啊！

　　A. 超越不了　　　　B. 战胜不了　　　　　C. 追赶不上

4. 那虞姬最后一次为霸王斟酒，最后一回为霸王舞剑，而后拔剑自刎，<u>从一而终</u>啊！

　　A. 一片真情　　　　B. 一心一意　　　　　C. 用情专一

5. 张宅上把订戏的差委了您，<u>那您就是我们喜福成的衣食父母</u>。

　　A. 我们依靠您来维持生活

　　B. 您为我们购买生活用品

　　C. 您给我们提供衣服食物

6. 玩意儿要是不灵，衣裳？

    A. 玩具   B. 技艺   C. 意义

7. 砸了我的脸面没什么，像您这样的，能把您给囚起来。

    A. 让我没面子   B. 打我的脸   C. 用东西砸我

8. 那爷，实在是对不住您哪！

    A. 挡不住   B. 留不下   C. 对不起

二 回答问题　Answer the following questions

1. 关师傅讲《霸王别姬》这出戏，目的是什么？

2. 那坤让小豆子演《思凡》，为什么小石头他们很紧张？

3. 那坤对关师傅说"回头见，改日再见"，是什么意思？

看第三遍，做练习

Watch the video for the third time and do exercises

表达练习　Let's talk

1. 看电影片段，复述《霸王别姬》的故事。

2. 说一说小豆子学戏有什么问题，最后是怎么改好的。

3. 假设你是小石头，说一说你的表现。

4. 假设你是那坤，说一说你的心理变化。

02
疯 魔
The Enchantment

剧情背景 Background story

小石头和小豆子长大了，成了京剧名角儿，艺名分别叫段小楼、程蝶衣。蝶衣希望跟着小楼唱一辈子戏，可小楼喜欢上了妓院花满楼最有名的妓女菊仙。

When Xiaoshitou and Xiaodouzi grow up, they become famous performers of Beijing opera, known by the stage names Duan Xiaolou and Cheng Dieyi respectively. Cheng wishes to sing Beijing opera for a lifetime with Duan, but Duan, contradicting to this wish, falls in love with the most famous prostitute Juxian in the brothel named Blooming Flowers Mansion.

文化介绍 Cultural introduction

武二郎、西门庆、潘金莲
Wu Erlang, Ximen Qing, Pan Jinlian

中国古代小说名著《水浒传》中的人物。武二郎名叫武松，因为在家中是老二，所以也叫武二郎。武松身材高大，武艺高强，曾经空手打死过一只大老虎。但是武松的哥哥武大郎却身材矮小、相貌丑陋，他的漂亮妻子潘金莲很不喜欢他，与当地有钱有势的恶霸西门庆勾搭成奸，并和西门庆一起设法毒死了丈夫。武松知道哥哥死亡的真相后，杀死了潘金莲和西门庆，为哥哥报了仇。

在中国文化中，这三个人都是著名的典型人物。武松代表武艺高强、行侠仗义的英雄，西门庆代表仗势欺人的好色恶霸，潘金莲则代表漂亮但淫荡、狠毒的坏女人。

These people are the characters in *Water Margin*, an ancient Chinese literary masterpiece. By the name of Wu Song, Wu Erlang is the second child in the family, hence Erlang. Huge and adept in martial arts, he once killed a big tiger with bare fists. But Wu Song's elder brother, Wu Dalang, short and ugly, is much disliked by his beautiful wife Pan Jinlian, who has an affair with the rich and powerful local despot Ximen Qing and poisoned her husband in collusion with him. Having known the truth of Wu Dalang's death, Wu Song avenges his brother's death by killing Pan Jinlian and Ximen Qing.

In Chinese culture, these three people are well-known archetypes. Wu Song represents a hero who is good at martial arts and has a chivalry spirit; Ximen Qing is a lascivious local despot who abuses his power and bullies people; Pan Jinlian is the embodiment of a bad woman who is beautiful but lewd and cruel.

历史注释　Historical note

八大胡同

The Eight Alleys

老北京人所说的"八大胡同"，泛指前门外大栅栏一带。清代末年，这一带因为妓院多而出名。

"The Eight Alleys" called by Beijing natives, refer to the area of Dashilan outside Qianmen. This area is well-known for its large number of brothels in late Qing Dynasty.

生词　New words and expressions

1	不过	búguò	（副）	only; merely; no more than
2	解难	jiěnàn	（动）	to overcome a difficulty
3	当真	dàngzhēn	（动）	to take sth. seriously
4	该死	gāisǐ	（动）	*damn (used to show one's abomination or anger)*
5	半辈子	bànbèizi	（名）	half a lifetime
6	时辰	shíchen	（名）	double-hour
7	疯魔	fēngmó	（形）	mad; insane; crazy
8	人世	rénshì	（名）	the world
9	凡人	fánrén	（名）	ordinary person
10	勾脸	gōu liǎn		to paint the face (in traditional opera)

语言讲解　Notes on language points

1 **不过**是救人解难，玩玩呗。

这里的"不过"是副词，把事情往小里说。前面常加"只"，句尾常加"罢了"。例如：

"不过", an adverb here, is used to understate the importance of an incident, often following "只" and with "罢了" at the end of the sentence. For example,

（1）他只不过是个十几岁的孩子，你别对他要求太高。

（2）他说他很了解中国，其实他只不过在中国待过几个月罢了。

2　玩玩呗，又不当真。

"当真"有两个意思。一个意思是"当成真的"，是动词。例如：

"当真" has two meanings. One meaning is "to take something seriously", used as a verb, for example,

（1）我刚才是跟你开玩笑，你别当真。

（2）老板说要干得好就给他加工资，他挺当真，最近很努力。

另一个意思是"确实"，是副词。例如：

The other meaning is "really", used as an adverb, for example,

（3）你当真以为她会喜欢上那个穷小子啊？

（4）爸爸答应送我一辆车，我生日那天，他当真开着一辆新车回来了。

3　这不小半辈子都唱过来了吗？

"小"，用在数量前面，表示"将近"，副词。例如：

"小", as an adverb, is often used before numbers, meaning "nearly". For example,

（1）这书挺贵的，一套三本，加起来小二百块钱呢。

（2）我今天走了有小三十里路，累坏了。

4　你可真是不疯魔不成活呀！

"成"是完成、成功的意思，"活"指产品、作品。这句话的意思是，一个人如果想在某个领域达到很高的水平，必须不懈地追求，达到痴迷、忘我的程度。

Here "成" means "to complete" or "to succeed"; "活" refers to "products or works". This expression means one has to be fully devoted and engaged in something so as to forget himself in order to reach the highest level.

5　还不就凭了师傅一句话？

"凭"，表示依靠、根据。可以作动词，例如：

"凭" can be used as a verb to mean "rely on" or "resort to". For example,

（1）就凭着这么点儿钱，他创办了自己的公司。

（2）他能获奖，凭的是自己的真才实学。

也可以作介词，例如：

It can also be used as a preposition. For example,

（3）他凭自己的智慧取得了成功。

（4）凭常识判断，实验的方法有问题。

视听说练习　Exercises based on the video

看第一遍，做练习
Watch the video for the first time and do exercises

判断对错 True or false

1．小楼没有在八大胡同打架。　　　　　　　　　（　　）

2．小楼说要带蝶衣去八大胡同玩儿，蝶衣听了很生气。　（　　）

3．小楼不想一辈子跟蝶衣一起唱戏。　　　　　　　（　　）

4．小楼觉得蝶衣是个疯子。　　　　　　　　　　（　　）

看第二遍，做练习
Watch the video for the second time and do exercises

一　选择与画线部分意思最接近的词语

Choose the answer that best reflects the meaning of the underlined words

1．听说你在八大胡同打出名来了？

　　A．说出了自己的姓名

　　B．因为打架变得出名

　　C．打败别人赢得名声

2．师哥今儿神不在家，说走嘴了。

　　A．考虑问题不周到

　　B．没有精神

　　C．注意力不集中

3. 你忘了咱们是怎么唱<u>红</u>的了?

    A. 很顺利   B. 很有名   C. 很有钱

二 填空　Fill in the blanks

程蝶衣：你忘了咱们是怎么唱红的了? 还不就＿＿＿＿＿＿＿＿＿?

段小楼：什么话呀?

程蝶衣：＿＿＿＿＿＿! 师哥, 我要让你跟我……不对……就＿＿＿＿＿好
好＿＿＿＿＿, 不行吗?

段小楼：这不……这不小半辈子都唱过来吗?

程蝶衣：不行, 说的是＿＿＿＿＿＿＿＿! 差一年, 一个月, 一天, 一个
时辰……都不算一辈子!

段小楼：蝶衣, 你可真是＿＿＿＿＿＿呀! ＿＿＿＿＿＿＿＿, 不
假, 可要是＿＿＿＿＿, 在这人世上, 在这凡人堆里, 咱
们＿＿＿＿＿! 来! 给师哥勾勾脸。

看第三遍, 做练习
Watch the video for the third time and do exercises

一 表达练习　Let's talk

1. 复述这个片段。

2. 从这个片段中, 可以看出程蝶衣、段小楼对对方的感情有什么不同?

二 讨论　Discussion

1. 你怎么理解程蝶衣的"从一而终"?

2. 从程蝶衣对艺术的态度来看, 他未来的人生会顺利吗?

03

假霸王　真虞姬

The Counterfeit Conqueror and the Genuine Concubine

剧情背景 Background story

菊仙离开了花满楼，想嫁给段小楼，过正常人的生活。

Juxian leaves the Blooming Flowers Mansion, and wishes to marry Duan Xiaolou, dreaming of living a normal life with him.

文化介绍 Cultural introduction

洞房花烛夜

the wedding night

洞房指新婚夫妇的房间。因为旧时新婚之夜洞房里要点花烛，所以用洞房花烛指结婚的景象。中国古人总结了人生几个最幸福的时刻，"洞房花烛夜"是其中之一。

Dongfang (a nuptial chamber) refers to the room of a newly married couple. As in old times wedding candles were lit in the nuptial chamber at wedding night. Nuptial chamber and wedding candles are associated with marriage. Ancient Chinese summed up several happiest moments in a life, one of which is the night in the nuptial chamber softened by candled light.

黄天霸

Huang Tianba

中国古代小说《施公案》里的主要人物，武艺高强。很多京剧剧目与黄天霸有关。

Huang Tianba is a major character adept in martial arts in the ancient Chinese novel *The Cases of Lord Shi*, and is featured in many plays of Beijing opera.

生词 New words and expressions

1	赶	gǎn	（动）	to drive away; to expel
2	老板	lǎobǎn	（名）	shopkeeper; proprietor; boss
3	念叨	niàndao	（动）	to be always talking about
4	失陪	shīpéi	（动）	excuse me, but I must be leaving now
5	要不是	yàobúshì	（连）	if it were not for; but for
6	入土	rù tǔ		to be buried
7	定亲	dìng qīn		to get engaged
8	当牛做马	dāng niú zuò mǎ		to slave away for sb.
9	命苦	mìng kǔ		cruel fate
10	收留	shōuliú	（动）	to take sb. in; to have sb. in one's care
11	侍候	shìhòu	（动）	to wait upon; to look after; to attend
12	嫌弃	xiánqì	（动）	to dislike and shun; cold-shoulder
13	大不了	dà bu liǎo		at the worst; if the worst comes to the worst
14	妞	niū	（名）	(coll.) girl
15	服	fú	（动）	to be convinced; to obey
16	爷们	yémen	（名）	(coll.) man or menfolk
17	赏光	shǎng guāng		to visit *(used when requesting sb. to accept an invitation)*
18	妓女	jìnǚ	（名）	prostitute, whore, streetgirl
19	证婚人	zhènghūnrén	（名）	chief witness at a wedding ceremony
20	厚道	hòudao	（形）	kind, sincere
21	栽培	zāipéi	（动）	to help sb. advance in career, to patronize

语言讲解 Notes on language points

1 **要不是**你在楼底下接着，我早就入土了。

"要不是"，连词，"如果不是"的意思，表示对已经发生的事情的否定的假设。例如：

"要不是", a conjunction, means the same as "如果不是", expressing a negation to what has already happened. For example,

（1）要不是堵车，我们早就到了。

（2）要不是你借钱给我，我根本买不起这么大的房子。

2 你要是嫌弃她，**大不了**，她再跳回楼。

"大不了"，"至多"的意思，表示估计到最坏的程度。例如：

"大不了", meaning "at most", is used to express a worst estimation. For example,

（1）实在没有车，大不了我们走回去。

（2）买不到票，大不了今天不看电影了。

3 小楼在**人前人后**提起您来说的可都是厚道话呀！

"人前人后"，指任何时候、任何场合。例如：

"人前人后" means any time or any occasion. For example,

（1）明星也不全是表里如一，人前人后一个样的。

（2）不管人前人后，他都认真地工作、学习。

4 我上哪儿去，你**管得着**吗？

"管"的意思是过问。"管得着"常用于反问句，强调与某人没有任何关系，或某人无权干涉。否定形式是"管不着"。例如：

"管" means "ask about". "管得着", often used in rhetorical questions, emphasizing a void of relationship to anyone or a complete self control over a situation. The negation is "管不着". For example,

（1）我每月挣多少钱、怎么花，你管得着吗？

（2）我想嫁给谁就嫁给谁，你管不着！

视听说练习　Exercises based on the video

看第一遍，做练习
Watch the video for the first time and do exercises

判断对错　True or false

1. 菊仙带着所有的财物来找段小楼，让段小楼收留自己。　（　）
2. 程蝶衣第一次见菊仙，表现得很有礼貌。　（　）
3. 段小楼决定，当天晚上就和菊仙结婚。　（　）
4. 程蝶衣不同意做段小楼的证婚人。　（　）
5. 段小楼不希望程蝶衣影响他的生活。　（　）

看第二遍，做练习
Watch the video for the second time and do exercises

选择正确答案　Multiple choices

1. 花满楼不留许过婚的人。
   A. 花满楼不许妓女结婚
   B. 花满楼不许妓女定亲
   C. 花满楼不许定过亲的妓女留下来
   D. 花满楼不许结过婚的妓女留下来

2. 这他妈就是一本大戏呀！
   A. 菊仙很会演戏
   B. 段小楼很会演戏
   C. 菊仙和段小楼可以一起上台演戏
   D. 菊仙和段小楼的爱情故事很精彩

3. 我得堂堂正正地进你段家的门。
   A. 段小楼的家庭社会地位很高
   B. 段小楼要体面地把菊仙娶回家

C. 菊仙进段小楼家要穿得很体面

D. 段小楼的家庭有许许多多规矩

4. 嫌我偷工减料啊？

A. 菊仙嫌段小楼偷了别人的东西

B. 菊仙嫌段小楼没去花满楼接她

C. 菊仙嫌段小楼没热闹地迎娶她

D. 菊仙嫌段小楼没有给她多少钱

5. 那就别洒狗血了！

A. 不能在戏院洒狗的血

B. 别给戏院带来坏运气

C. 别在戏院里闹事

D. 别败坏段小楼的声誉

看第三遍，做练习

Watch the video for the third time and do exercises

一 表达练习　Let's talk

1. 看电影片段，描述一下段小楼、菊仙和程蝶衣的心理活动。

2. 段小楼对程蝶衣的态度是怎么变化的？

二 讨论　Discussion

段小楼说的"我是假霸王，你是真虞姬"是什么意思？

04

救 人
The Rescue

剧情背景 Background story

在剧院的后台，一个日本军官穿上了段小楼的戏服，段小楼让日本军官脱下戏服，遭到了伪军的辱骂，结果段小楼与日本兵、伪军打了起来，被日本兵抓走。日军让程蝶衣去司令部唱堂会。

On the backstage of the theatre, a Japanese officer is wearing the costumes of Duan Xiaolou. Duan asks him to take them off only to be insulted by the puppet soldiers. As a result, Duan gets into a fight with the Japanese and puppet soldiers and is taken away by the Japanese soldiers. Meanwhile, Cheng Dieyi is ordered to give a private performance at the Japanese headquarters.

文化介绍 Cultural introduction

堂 会
Performance at home gathering for celebration

旧时，富贵人家举办喜庆宴会时，自己出钱请艺人为自家作专场演出，招待亲戚朋友，叫堂会。堂会演出的收入比平时的演出高得多。

In old times when wealthy and influential families were having celebrations, they would entertain their relatives and friends by hiring artists to give special performances. Such performances were called "tanghui" and the artists earn much more than usual on such occasions.

历史注释 Historical note

抗日战争

Anti-Japanese War

指1937年7月至1945年9月，中国各族人民抗击日本帝国主义侵略的民族解放战争，是世界反法西斯战争的重要组成部分。其间，中国单独对日作战四年半。到1941年12月8日，日军袭击珍珠港，对美国、英国开战，中日之间的战争，成为太平洋战争的一部分。中国与美、英一起对日作战，直到日本投降为止。

It refers to the war of national liberation by the people of all nationalities in China against the Japanese imperialist aggression from July 1937 to September 1945. It is an important part of World Anti-Fascist War. China fought against Japan alone for four and a half years until the attack on Pearl Harbor on December 8th, 1941. With Japan's declaration of war on the US and the Great Britain, the war between China and Japan became a part of the Pacific War. Since then, China together with US and the Great Britain fought against Japan till Japan's surrender.

生词 New words and expressions

1	讹	é	(动)	to extort under false pretences; to blackmail
2	眼下	yǎnxià	(名)	at the moment; at present; now
3	旁人	pángrén	(名)	someone else
4	戏园子	xìyuánzi	(名)	old opera house; theatre
5	狼狗	lánggǒu	(名)	wolfhound
6	逮	dǎi	(动)	to catch; to arrest

7 打	dǎ	（介）	from; since
8 私房话	sīfánghuà	（名）	confidential talk
9 干脆	gāncuì	（副）	simply; just; altogether
10 操心	cāo xīn		to worry; to take trouble; to take pains
11 这么着	zhèmezhe	（代）	like this; so
12 轻省	qīngsheng	（形）	relaxed

语言讲解 Notes on language points

1 万一您自个再出点什么差池

"万一"，连词，表示可能性很小的假设，而且说话人一般不希望假设的事情发生。例如：

"万一", as a conjunction, is used to indicate a very unlikely supposition and the speaker usually wishes it wouldn't come true. For example,

（1）别把钱都买了股票，万一经济不好，我们就破产了。

（2）这是大家的决定，万一出了问题，也不能让他一个人负责任。

"万一"还可以作名词。例如：

"万一" can also be used as a noun. For example,

（3）多带几个人去，以防万一。

（4）他一夜没睡，随时准备着应付万一。

2 小楼打小是怎么待你的?

"打"，介词，从，用于口语。表示处所、时间、范围的起点。例如：

"打", as a preposition and a colloquial expression, means "from", indicating the starting point of the stated place or time.

（1）A：请问，去北京大学怎么走？

B：打这儿往西走。

（2）打他上大学起，就没再跟家里要过钱。

3 　**干脆**明说了吧，您倒是去还是不去？

"干脆"，副词，索性。由于前边所说的情形或者说话双方都知道的情况比较麻烦，所以采用一个比较简便的方法或者作出一个容易操作的决定。例如：

"干脆", as an adverb, means "directly, might as well". As the afore-mentioned situations or the situations known by both speakers are complex, a comparatively simple solution is taken or an easy decision to operate is made. For example,

（1）既然你觉得唱戏没发展，那就干脆放弃，去学别的吧。

（2）A：我排了半天队也没买到电影《梅兰芳》的票。

　　　B：干脆买张光盘，回家看去吧。

4 　我明白你的心思，**要不**这么着吧，……

"要不"，也说"要不然"，连词，有两个意思。一个意思是"不然，否则"，引出一个结论。例如：

"要不" is a conjunction equivalent to "要不然". It has two meanings of which the first is to mean "otherwise" introducing a conclusion. For example,

（1）给家里打个电话吧，要不他们该着急了。

（2）路上肯定堵车了，要不他怎么现在还没到学校？

另一个意思是表示建议。例如：

The other meaning is to propose a suggestion. For example,

（3）今天太累了，要不咱们去饭馆儿吃饭吧。

（4）A：唉！这次口试又没通过。

　　　B：要不这么着吧，我给你介绍一个中国朋友，你多练练。

视听说练习 Exercises based on the video

看第一遍，做练习
Watch the video for the first time and do exercises

判断对错 True or false

1. 日本人请程蝶衣去唱堂会。

2. 程蝶衣不着急去救段小楼。

3. 那坤担心程蝶衣去日本人那儿出事。

4. 因为菊仙来了，程蝶衣不想救段小楼了。

5. 菊仙很想回花满楼，过原来的轻松生活。

看第二遍，做练习
Watch the video for the second time and do exercises

一 选择与画线部分意思最接近的词语

Choose the answer that best reflects the meaning of the underlined words

1. 万一您自个儿再<u>出点什么差池</u>，我这个戏园子……

   A. 发生意外的事情

   B. 做出错误的行为

   C. 掉进很深的水池

2. <u>我师哥可是在您的手上让人逮走的。</u>

   A. 我师哥是因为你才被抓走的

   B. 你应该对我师哥被抓负责任

   C. 你没有尽照顾我师哥的责任

3. 小楼<u>打小</u>是怎么待你的?

   A. 小时候是怎么待你的

   B. 小时候是怎么打你的

   C. 是怎么从小招待你的

4. 你只要<u>囫囵</u>个地把小楼给弄出来，我哪来哪去……

    A. 实实在在   B. 顺顺利利   C. 完完整整

5. 程蝶衣：这可是您自个儿说的。

    菊   仙：<u>一言为定</u>！

    A. 肯定是我说的

    B. 说话肯定算数

    C. 一定不多说话

看第三遍，做练习

Watch the video for the third time and do exercises

表达练习   Let's talk

1. 看电影片段（一），描述程蝶衣的动作和心理。

2. 看电影片段（二），描述程蝶衣的动作和心理。

3. 对比菊仙来之前和之后程蝶衣的表现，说说程蝶衣为什么会这样。

05

综合练习(一)
Comprehensive Exercises (Part A)

一 把所给词放在合适的位置　Put the given words in proper places

1. A才过B了几天，他就把背C过的单词都忘D了。（光）

2. 我只A批评了她B几句，C她就D受不了了，又哭又闹。（不过）

3. 他A一身的B好功夫在C演艺界D站住了脚。（凭）

4. A我B昨晚C没睡，就和朋友聊天D了。（一宿）

5. A多带些钱，B买不到火车票，C就坐飞机，D明天一定要到。（万一）

6. 那么A难的日子我们都熬B了，C现在还有什么过不去D的呢？（过来）

7. 她现在A可是走B啦！连美国C人都知道她D。（红）

8. A买不到B火车票，C开车，D我一定要回家。（大不了）

9. 我想A去就去，不想去B就不去C，谁也管不D我。（着）

10. 这套A教材太贵了！B薄薄C几本书，加在一起D二百块钱呢。（小）

二 选择合适的词语填空　Fill in the blanks with proper words

抬举　厚道　念叨　当真　能耐　嫌弃　成全　解难　赏光　干脆

1. 这么点工作，＿＿＿＿＿＿让我一个人干得了。

2. 老王很＿＿＿＿＿＿，这些年来帮了我们很多忙。

3. 让你出差是领导给你机会锻炼，你怎么不识＿＿＿＿＿＿呢？

4. 他是我们公司最有＿＿＿＿＿＿的人，没有他办不了的事。

5. 你要是不＿＿＿＿＿＿，这个小玩意就送给你了。

6. 刚才我们还＿＿＿＿＿＿你呢，现在你还真来了。

7. 人们总希望寺庙可以帮助自己消灾＿＿＿＿＿＿。

8. 我们公司明天举办成立十周年庆祝活动，请您＿＿＿＿＿＿出席。

9. 他跟你开玩笑呢，你可别＿＿＿＿＿＿。

10. 他们既然相爱，您就＿＿＿＿＿＿他们，让他们结婚吧。

三 选择正确答案　Multiple choices

1. 这些年，要不是靠您的_____，我不会取得今天的成就。

   　　A. 培育　　　B. 养育　　　C. 栽培　　　D. 抚养

2. 我给你二十万你就给我装修成这样！这不是_____人吗？

   　　A. 诈骗　　　B. 糊涂　　　C. 糊弄　　　D. 捉弄

3. 今天就带孩子去游乐园吧，他已经_____了半个月了。

   　　A. 思念　　　B. 想念　　　C. 思想　　　D. 念叨

4. 为了_____好自己的老母亲，她一直没有结婚。

   　　A. 保护　　　B. 伺候　　　C. 爱护　　　D. 料理

5. 这么一辆旧车就让赔三百块，这不是_____人吗？

   　　A. 抢　　　　B. 讹　　　　C. 气　　　　D. 欺

6. 他没什么别的爱好，就是有空的时候爱听几_____戏。

   　　A. 桌　　　　B. 个　　　　C. 出　　　　D. 章

7. 要买就买双名牌鞋，_____多花点钱罢了。

   　　A. 不过　　　B. 要是　　　C. 但愿　　　D. 只要

8. 我一个人管账你不放心，_____咱们一起管怎么样？

   　　A. 虽然　　　B. 但是　　　C. 要不　　　D. 可是

9. 对不起，我_____一会儿，那边来了我一个朋友。

   　　A. 打扰　　　B. 离去　　　C. 出门　　　D. 失陪

10. 十年前，她是全国最有名的_____歌星。

    　　A. 火　　　　B. 红　　　　C. 老　　　　D. 旧

四 用所给词语完成句子

Complete the following sentences with the given words

1. 为了参加这次比赛，他准备了很久，_____。（临到头）

2. 对不起，_____。（神不在家）

3. 面包上有一只苍蝇，你_____！（赶）

4. 她对人好不是装样子的，_____。（人前人后）

5. 平时我学得挺好的，没想到一考试_____。（慌了神）

6. 你可要好好工作，不能_____。（砸……脸面）

7. 我今天跟他没完，他_____。（打小）

8. 别人的话他都不听，他就_____。（服）

9. 你一个人干两个人的活，_____。（轻省）

10. 我都当了三十年老师了，在这所学校_____。（半辈子）

五 用所给词语完成对话

Complete the following dialogues with the given words

1. A：哟，这杯子什么时候砸坏了？

   B：小张刚才在这里，_____？（A没A）

2. A：你看看，他把我的车都撞成这样了，该怎么办？

   B：_____。（这么着）

3. A：你办事我不放心。

   B：_____。（要不）

4. A：你怎么把我的新衣服都染成这色了？

   B：我只_____。（不过）

5. A：你说，小张那么个精明人，怎么就得不到领导赏识呢？

   B：小张虽然能干，领导_____。（偏偏）

6. A：真倒霉，演唱会的门票都卖光了。

   B：别生气，_____。（大不了）

7. A：大刀长矛被枪炮取代，没什么可惜的。

   B：是呀，_____。（敌不过）

8. A：最近股市看涨，我想把手里的钱全投进去。

   B：还是小心点吧，_____。（万一）

9. A：现在在公司工作光有文凭可不行。

   B：我就是_____当上了经理。（凭）

10. A：小伙子，一边打电话一边骑车是很危险的。

    B：_____？（管得着）

06

送 剑

Sending the Sword

　　程蝶衣去日军司令部唱堂会，救出了段小楼。抗日战争胜利后，中国政府因为这段经历逮捕了程蝶衣。为了救程蝶衣，段小楼和菊仙尽了最大的努力。但是，程蝶衣因为怨恨菊仙要拆散他和段小楼，并不领情。段小楼非常生气，与程蝶衣散了伙，以卖水果为生，一直到北京快要解放的时候。

Cheng Dieyi goes to the headquarters of the Japanese Army, and rescues Duan Xiaolou, for which Cheng is arrested by the Chinese government after the victory of Anti-Japanese War. In order to save Cheng, Duan and Juxian have made every effort. However, Cheng isn't grateful for what they have done because he hates Juxian for separating him from Duan. This makes Duan so angry that he breaks up with Cheng and has been making his living by selling fruits until the liberation of Beijing.

历史注释 Historical note

解放战争

The Liberation War

　　指 1946 年 6 月至 1949 年 12 月发生于中国共产党领导的解放军与中国国民党军队之间的战争，结果是中国共产党推翻了中国国民党在中国大陆的统治，并于 1949 年 10 月 1 日在北京宣布中华人民共和国成立；而由中国国民党领导的中华民国政府则迁往台湾，形成了台湾海峡两岸中国直到今日的长期分治局面。

The Liberation War refers to the war between the PLA led by CPC and the army led by Kuomintang between June 1946 and December 1949. The war ended with the

CPC overthrowing Kuomintang's rule over the mainland and proclaiming the founding of the People's Republic of China on October 1st 1949. Meanwhile the government of the Republic of China led by Kuomintang left for Taiwan, leaving two sides of Taiwan Strait split till today.

生词 New words and expressions

1	哎哟	āiyō	(叹)	*expressing surprise, astonishment or pain*
2	赶紧着	gǎnjǐnzhe	(副)	at once, quickly
3	旗人	qírén	(名)	Manchu
4	好歹	hǎodǎi	(副)	in any case, at any rate, anyhow
5	兵临城下	bīng lín chéng xià		the enemy host has reached the city gates; the city is under siege
6	临朝	lín cháo		to assume the throne
7	江山	jiāngshān	(名)	country, state power
8	易主	yì zhǔ		(lit.) to change the ruler or sovereign or monarch, often used to describe the changing of a dynasty or the assumption of power by a new government
9	庆典	qìngdiǎn	(名)	celebration, festive ceremony
10	票子	piàozi	(名)	banknote, paper money
11	伤兵	shāngbīng	(名)	wounded soldier
12	闹哄	nàohong	(动)	to stir up trouble; to cause trouble
13	谱儿	pǔr	(名)	style; manner
14	甭管	béngguǎn	(连)	regardless of; no matter
15	老总	lǎozǒng	(名)	*address to soldiers or police*
16	角儿	juér	(名)	a famous actor or actress

语言讲解 Notes on language points

1 这水流千**遭**，到了还得归海不是？

"遭"，量词。回；次。例如：

"遭", a measure word, means "time". For example,

（1）一个人出远门，我还是第一遭。

（2）这种天上掉馅饼的事情，我还是头一遭遇到。

2 这水流千遭，到**了**还得归海不是？

"了"，这里读liǎo，动词，结束。例如：

"了", pronounced as "liǎo", is a verb meaning "come to an end". For example,

（1）说一遍就够了，别没完没了。

（2）我陪了他三天，临了，他只付给我100块钱。

3 这水流千遭，到了还得归海**不是**？

用"是不是"发问的句子，"是不是"可以放在句末，在口语中可以说成"不是"。提问的人对所问的问题一般已经有了肯定的答案。例如：

When "是不是" is used in a question, it can be placed at the end of the sentence and can be replaced by "不是" in oral Chinese. People who ask the question are usually sure that they will get a positive answer. For example,

（1）共产党来了，也得听戏不是？

（2）拿人的钱就得给人干活儿不是？

4 我们旗人**好歹**还坐了三百年天下……

"好歹"，副词，意思是"不管怎样"，表达一种虽不理想但勉强满意的意味。例如：

As an adverb, "好歹" means "anyhow or after all", denoting a sense of barely ideal but satisfying. For example,

（1）小李好歹能帮个忙，小王什么也做不了。

（2）他好歹也是个大学生，有什么配不上你的？

5 怎么着？还敢打人家伤兵不敢哪？

常用于口语。有三个意思。

As a colloquial expression, it has three meanings.

A. 相当于"怎么"，例如：

Equivalent to "怎么", for example:

老哥俩这是怎么着了？

B. 相当于"怎么样"，例如：

Equivalent to "怎么样", for example:

（1）我看了一眼，您猜怎么着？它们全都死了！

（2）她不敢把我怎么着。

C. 相当于"怎么做"，例如：

Equivalent to "怎么做", for example:

（1）我没钱了，不卖房子，我能怎么着？

（2）你已经结婚了，不能像以前那样，想怎么着就怎么着。

6 他们别瞎闹哄，闹哄急了，照打！

"瞎"，副词。没有根据地，没有来由地，没有效果地。例如：

"瞎", an adverb, means "without any evidence, any reason or any effect". For example,

（1）他已经一个星期没来公司了，大家七嘴八舌地瞎猜测。

（2）他是个精力充沛，喜欢瞎折腾的人。

7 他们别瞎闹哄，闹哄急了，照打！

"照"，副词，表示按原来的想法或计划做，不会改变。也说"照……不误"。例如：

"照", an adverb, means "act according to the original idea or plan", which can also be expressed by "照…不误". For example,

（1）A：雨下得这么大，比赛会不会暂停啊？

　　　B：不会的。雨下得再大，球也得照踢。

（2）尽管他知道这些是垃圾食品，可是他还照吃不误。

视听说练习　Exercises based on the video

看第一遍，做练习
Watch the video for the first time and do exercises

判断对错　True or false

1. 程蝶衣亲自把剑送到段小楼的手里。
2. 那坤觉得共产党来了就不听戏了。
3. 段小楼保证以后再也不打伤兵了。
4. 程蝶衣为解放军唱戏没能唱完。

看第二遍，做练习
Watch the video for the second time and do exercises

一　选择正确答案　Multiple choices

1. 那坤说："这水流千遭，到了还得归海不是？"意思是：
    A. 虞姬只是为霸王活着的
    B. 虞姬和霸王一定要见面
    C. 不管有什么矛盾，程蝶衣和段小楼最终会走到一起
    D. 河水经过的地方再多，最后还是会流到海里

2. "我们旗人好歹还坐了三百年天下"，"坐天下"的意思是：
    A. 作为管理者　　　　　　　B. 成为统治者
    C. 作为改革者　　　　　　　D. 成为创造者

3. "说话人家就兵临城下了。"意思是：
    A. 人家说快要攻城了　　　　B. 一边说话一边攻城

C. 很快就攻到城下了　　　　　D. 听到攻城的人说话

4. "咱们就等着点新票子吧！" 这句话的意思是：

    A. 咱们准备把钱存到银行里吧

    B. 咱们要把钱从银行里取出来

    C. 咱们在新社会里能挣很多钱

    D. 咱们得把旧钞票换成新钞票

5. "甭管哪朝哪代，人家永远是爷"，这里的 "爷" 是什么意思？

    A. 祖父　　　　　　　　　　B. 地位很高的人

    C. 对长辈的尊称　　　　　　D. 男人

二 看后填空　Fill in the blanks

那　坤：我们旗人好歹还坐了三百年天下，这民国才几年呀，_____人
家_____了！共产党来了，_____不是？新君临朝，江山易主。庆
典能_____您二位吗？不能够。咱们就等着点新票子吧！_____？
还敢打人家伤兵不敢呐？

段小楼：他们别瞎闹哄，闹哄急了，_____！

那　坤：别呀，您要有袁四爷_____，那行。甭管哪朝哪代，人家永远是
爷，咱们不行！

看第三遍，做练习
Watch the video for the third time and do exercises

回答问题　Answer the following questions

从下面四个方面说一说：段小楼和程蝶衣见面之前的两三年有什么问题？

（1）程蝶衣让小四把剑送给段小楼；

（2）菊仙见到程蝶衣时的表现；

（3）二人相见后那坤说的话；

（4）段小楼的现状（服装、头发、工作）。

07 适应新社会

Adapting to the New Society

剧情背景 Background story

新中国成立了，新社会来到了，人民当家作主了。从旧社会走过来的人，都在主动或被动地适应着这个全新的社会。

With the founding of New China, the society changes and people become the masters of their country. Those who have lived through the old political system are adapting to the completely new society either actively or passively.

生词 New words and expressions

1	行头	xíngtou	(名)	actor's costumes and paraphernalia
2	布景	bùjǐng	(名)	(theatre) setting, scenery setting, (stage) set
3	实	shí	(形)	true; real; actual
4	情境	qíngjìng	(名)	circumstances, condition, situation
5	对头	duìtóu	(形)	correct; on the right track; normal; right
6	美人	měirén	(名)	beautiful woman, beauty
7	放肆	fàngsì	(形)	unbridled, wanton, impudent
8	论理	lùn lǐ		to reason things out; to have it out
9	自打	zìdǎ	(介)	from; since
10	戏院	xìyuàn	(名)	theatre
11	拥护	yōnghù	(动)	to support
12	支持	zhīchí	(动)	to support; to back; to stand by

语言讲解 Notes on language points

1 穿上这一身往布景前头一站，玩意儿再好也不对头了。

"再……也……"，表示不管在什么条件下，结果也不会改变。例如：

"再…也…" means that the result will not be changed under any condition. For example,

（1）他太喜欢唱戏了，再苦，再难，他也能坚持下去。

（2）你说得再好听，也还是一个跑龙套的。

2 我就是不明白！

"就是"，副词，表示强调，态度坚决。例如：

"就是", an adverb, is used to emphasize the resoluteness of the speaker. For example,

（1）不管我怎么劝她，她就是不同意。

（2）他对这个问题很有研究，写出来的文章就是有水平。

3 我们说的是两码事。

"两码事"，也说"两回事"，表示两件事完全不同。例如：

"两码事", equivalent to "两回事", is used to describe two completely different things. For example,

（1）你说的是内容，我说的是行头，咱俩说的是两码事。

（2）小李认为看电视和读书是两码事，两者不可相互替代。

视听说练习 Exercises based on the video

看第一遍，做练习
Watch the video for the first time and do exercises

判断对错　True or false

1. 程蝶衣认为现代戏的服装不好看。　　　　　　　（　　）
2. 程蝶衣认为表现劳动人民的戏不是京戏。　　　　（　　）
3. 菊仙着急要给段小楼送伞，打断了会议发言。　　（　　）
4. 段小楼和那坤都不同意程蝶衣的观点。　　　　　（　　）

看第二遍，做练习
Watch the video for the second time and do exercises

一　选择与画线部分意思最接近的词语

Choose the answer that best reflects the meaning of the underlined words

1. 穿上这一身往布景前头一站，玩意儿再好也<u>不对头</u>了。

　　A. 不太协调　　　　B. 方向有错　　　　C. 无法表现

2. 你这……<u>说的是两码事</u>！

　　A. 你说的跟我说的没有区别

　　B. 你说的跟我说的都有道理

　　C. 你说的跟我说的没有关系

3. 一提这论理的事儿，我<u>头就大</u>了。

　　A. 感到头疼　　　　B. 说不清楚　　　　C. 没有精神

4. 自打把这戏院交给咱国家，咱就都是<u>新人</u>了。

　　A. 刚结婚的人　　　B. 刚工作的人　　　C. 新社会的人

看第三遍，做练习
Watch the video for the third time and do exercises

一 表达练习　Let's talk

1. 说说程蝶衣和小四对现代戏的态度。

2. 菊仙说"外面要下雨了"是什么意思？她为什么要打断会议发言，把伞交给段小楼？

3. 结合前面学过的课文，说说那坤对程蝶衣态度的变化。

二 讨论　Discussion

小四是程蝶衣的徒弟，但是现在的他对师傅很不尊重。从段小楼、菊仙和那坤的表现分析一下，为什么会这样？

08

审 问

Interrogation

剧情背景 Background story

　　小四的权力越来越大，他顶替了程蝶衣的虞姬角色。"文化大革命"来了，小四又成了红卫兵。而段小楼、程蝶衣这些来自旧社会的名角儿，都成了被批判的对象。

　　Xiaosi gets more and more powerful, and replaces Cheng Dieyi to play the role of Yu Ji. When the Cultural Revolution starts, Xiaosi turns to be a Red Guard, while the famous performers in the old days such as Duan Xiaolou and Cheng Dieyi become the target of criticism and humiliation.

历史注释 Historical notes

文化大革命

The Cultural Revolution

　　指1966年5月至1976年10月由毛泽东发动并领导、被一些别有用心的人利用并推动的一场错误的大规模政治运动。这场运动给中国的政治、经济和文化等众多方面造成了巨大的灾难。

　　It is a large-scaled misleading political movement started and led by Mao Zedong and was taken advantage of by some people with ulterior motives from May 1966 to October 1976. This movement has catastrophic impacts on China's politics, economy, culture and so forth.

红卫兵

The Red Guards

红卫兵是中国文化大革命时期的特殊人群，主要由大学和中学的狂热学生组成，是"文化大革命"运动初期的主要推动力量。红卫兵运动的高潮是破"四旧"，即所谓的破"旧思想、旧文化、旧风俗、旧习惯"，主要手段是抄家和批斗。由于得到了当时的国家领导人的支持，红卫兵运动给中国造成了很大的动乱。

红卫兵的典型着装是头戴绿军帽，身穿绿军装，腰系武装带，左臂佩"红卫兵"红袖标。

As a special group in the times of the Cultural Revolution, the Red Guards were mainly made up of enthusiastic students from both universities and middle schools. At the beginning of the Cultural Revolution, the Red Guards were the main force. And the climax of the movement was attacking the Four Olds or rather "the old mind, the old culture, the old custom, the old habit". During that period they searched houses, confiscated all possessions, and criticized and denounced the targeted people. With the support of some state leaders, the Red Guard Movement lasted a decade and resulted in great turmoil in China.

The Red Guards were marked by a green military cap, green army uniform with a Sam Browne belt around their waist and a red armband with the words "Red Guards" on their left arms.

生词 New words and expressions

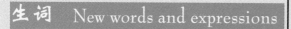

1	冤	yuān	（形）	wrong, of injustice
2	王八蛋	wángbādàn	（名）	bastard; son of a bitch
3	血口喷人	xuè kǒu pēn rén		to make unfounded and malicious attacks upon sb.; to venomously slander
4	反动	fǎndòng	（形）	reactionary
5	保	bǎo	（动）	to save from damage; to preserve
6	拍砖	pāi zhuān		the act of breaking a brick on one's head; a form of Chinese Qigong
7	妓院	jìyuàn	（名）	brothel
8	可耻	kěchǐ	（形）	shameful, disgraceful, ignominious
9	揭发	jiēfā	（动）	to expose, to bring to light
10	下场	xiàchǎng	（名）	end, fade, ending

语言讲解 Note on language point

要有，杀了我也不冤。

"要"，连词，"要是"，用于口语。例如：

"要", equivalent to "要是", is a conjunction used in oral Chinese. For example,

（1）你要能去，帮我带个口信。

（2）明天要天气好，我们就去爬山。

不过，"要是"用在主语前后都可以，"要"只能用在主语后面。

However, "要是" can be placed both before and after the subject while "要" must be put after the subject only.

视听说练习 Exercises based on the video

看第一遍，做练习
Watch the video for the first time and do exercises

判断对错 True or false

1. 那坤因为对段小楼不满，所以揭发他。　　　　　　（　　）
2. 段小楼从来不会拍砖，但小四逼他拍砖。　　　　　（　　）
3. 段小楼承认自己一直是霸王。　　　　　　　　　　（　　）
4. 小四让段小楼揭发程蝶衣。　　　　　　　　　　　（　　）

看第二遍，做练习
Watch the video for the second time and do exercises

回答问题 Answer the following questions

1. 小四问段小楼剑是从哪儿来的，目的是什么？
2. 段小楼是否还记得自己当时在戏园子大街说的话？
3. 那坤给段小楼提了个什么醒？
4. 段小楼为什么说那坤是"血口喷人"？

看第三遍，做练习
Watch the video for the third time and do exercises

一 配音练习 Role-play

1. 看电影片段，扮演段小楼。
2. 看电影片段，扮演小四。

二 表达练习 Let's talk

描述一下段小楼被审时的场景。

三 讨论 Discussion

再看一遍《送剑》，你认为是那坤主动揭发段小楼的吗？为什么？

09

别　姬

Farewell to Yu Ji

剧情背景　Background story

"文化大革命"中，段小楼和程蝶衣都遭到无情的批斗，为了保全自己，他们被迫互相揭发。菊仙也因无法忍受红卫兵的侮辱而自杀。

During the Cultural Revolution, both Duan Xiaolou and Cheng Dieyi are sternly criticized and denounced. In order to protect themselves, they have to criticize and denounce each other. Meanwhile Juxian cannot bear the insults of the Red Guards and commits suicide.

历史注释　Historical note

四人帮

Gang of Four

"四人帮"是指江青、姚文元、王洪文和张春桥四人在"文化大革命"期间所结成的小组。他们利用"文化大革命"进入中国最高领导层，领导了"文化大革命"的发展，并企图在毛泽东逝世后夺取国家最高领导权。1976年10月，"四人帮"被逮捕。

"Gang of Four" refers to a political group during the Cultural Revolution, which is made up of Jiang Qing, Yao Wenyuan, Wang Hongwen and Zhang Chunqiao. They used the Cultural Revolution to enter then top China political circle and led the movement, intending to seize the top leadership after Chairman Mao Zedong's death. In October 1976, they four were all arrested.

生词 New words and expressions

1 走台	zǒu tái		to rehearse
2 戏迷	xìmí	（名）	theatre fan
3 闹	nào	（动）	to cause trouble
4 受累	shòu lèi		to be put to much trouble
5 跟趟儿	gēn tàngr		to keep pace with; to catch up with

语言讲解 Notes on language points

1 可不？都是"四人帮"闹的。

"可不"，习惯用语，表示同意对方的话，也说成"可不是"、"可不是吗"。例如：

As an idiomatic expression, "可不" means "agreeing with others' opinion" and is equivalent to "可不是" and "可不是吗". For example,

（1）A：咱们该去看看爸妈了。

B：可不，半个多月没回去了。

（2）A：考100分挺不容易的吧?

B：可不，全班只有两个人得满分呢!

2 您受累。

"受累"，用作客气话。例如：

"受累" is used to show the speaker's courtesy or politeness. For example,

（1）大夫，您受累帮我看看牙，我牙疼。

（2）这么远来看我，让您受累了。

视听说练习　Exercises based on the video

看第一遍，做练习
Watch the video for the first time and do exercises

填空　Fill in the blanks

看门人：您二位有二十多年没在一块儿唱了吧？

段小楼：＿＿＿＿＿＿＿＿＿＿＿＿＿＿。

程蝶衣：＿＿＿＿＿＿＿＿＿＿＿＿＿＿。

段小楼：对，二十二年了。我们哥俩＿＿＿＿＿＿＿＿＿＿＿＿＿＿＿。

程蝶衣：＿＿＿＿＿＿＿＿＿＿＿＿＿＿。

段小楼：是，是十一年。

看门人：都是"四人帮"闹的，明白。

段小楼：＿＿＿＿＿＿＿＿＿＿＿＿＿＿。

看门人：现在好了。

段小楼：＿＿＿＿＿＿＿＿＿＿＿＿＿＿。

看第二遍，做练习
Watch the video for the second time and do exercises

一　回答问题　Answer the following questions

1. 程蝶衣对过去的记忆比段小楼清楚，这说明什么问题？
2. 段小楼突然唱起《思凡》，对程蝶衣有什么影响？

二　讨论　Discussion

1. 段小楼为什么突然唱起《思凡》？
2. 程蝶衣为什么自杀？

10

综合练习（二）
Comprehensive Exercises (Part B)

一 选择合适的词语填空 Fill in the blanks with proper words

> 谱儿　瞎　遭　冤　保　闹　了　实

1. 大家有什么想法可以说出来，别跟着他_____起哄。

2. 这次事故与小李没关系，但他却要承担责任，太_____了！

3. 在梅兰芳大剧院演京戏《霸王别姬》，对他来说是可是头一_____。

4. 在文化大革命中，他为了_____自己，出卖了朋友。

5. 这歌手的_____够大的，走到哪儿都有四五个保镖跟着。

6. 都是这下雪天给_____的，要不然路上车不会堵成这样。

7. 影片没有过多地表现那些战斗场面，而是有虚有_____，虚_____结合。

8. 两年来，他一直在追她，可到_____也没追上。

二 选择正确答案 Multiple choices

1. 落井下石是一种_____的行为。

　　A. 可耻　　B. 可悲　　C. 羞耻　　D. 耻辱

2. 他向有关部门检举_____了本单位领导贪污受贿的行为。

　　A. 揭破　　B. 揭穿　　C. 揭露　　D. 揭发

3. 北京市政府出台的旧城保护的方案得到了大多数市民的_____。

　　A. 拥戴　　B. 爱护　　C. 拥护　　D. 爱戴

4. 考试前，他常常会做一些关于考试_____的梦。

　　A. 情节　　B. 情况　　C. 景色　　D. 情境

5. 这么大热天儿您还亲自跑一趟，让您_____了。

　　A. 受苦　　B. 受罪　　C. 受委屈　　D. 受累

6. 他做的坏事太多了，肯定不会有好_____的。

　　A. 下场　　B. 成果　　C. 后果　　D. 结束

7. 如果没有家人的大力_____，我是不可能坚持学下来的。

   A. 鼓励　　B. 坚持　　C. 支持　　　D. 维持

8. 小王要跟售货员_____，问他为什么故意卖假货。

   A. 伦理　　B. 论理　　C. 理论　　D. 论述

三 用所给词语完成对话

Complete the following dialogues with the given words

1. A：别写了，已经十二点了，该休息了。

   B：不行，_____。（再……也……）

2. A：几年不见，他的变化太大了！

   B：_____。（可不）

3. A：大过年的，你也不休息休息，你就不担心没人来你这儿看病吗？

   B：不担心，甭管什么时候，_____？（……不是）

4. A：妈，我不准备参加高考了。

   B：你已经是大孩子了，_____！（怎么着）

5. A：你看，今天天气这么不好，我们还是别去了。

   B：不行，我今天_____。（就是）

6. A：爸，你什么时候能给我买一个手机呀？

   B：_____，我就给你买一个手机。（要……）

7. A：我现在真看不惯你们年轻人花钱这么大手大脚。

   B：那是您老了，_____。（跟趟儿）

8. A：你一直坚持每天练声、练功吗？

   B：是呀，_____。（自打……就……）

四 用指定词语改写句子

Rewrite the following sentences with the given words

1. 你怎么能在长辈面前这么随便乱说话？（放肆）

2. 他这是在用恶毒的话污蔑别人。（血口喷人）

3．尽管已经是工作时间了，可他俩还在聊。（照……不误）

4．这个国家虽然换了皇帝，但跟我们还是很友好。（江山易主）

5．敌人的军队快打过来了，市民纷纷逃出去了。（兵临城下）

6．尽管这段戏对她来说很难，可她还是唱下来了。（好歹）

7．舞台艺术和影视艺术是两种不同的艺术。（两码事）

8．他一进会议室就发现这里的气氛有点儿不对劲儿。（对头）

《霸王别姬》文本
Text of *FAREWELL MY CONCUBINE*

【背景字幕：一九七七年，中国北京】

▶ 剧院

看门人：干什么的？

段小楼：噢，京剧院来走台的。

看门人：哎哟，是您二位啊？

段小楼：噢。

看门人：我是您二位的戏迷。

段小楼：是啊？哎哟！嗬！

看门人：您二位有二十多年没在一块儿唱了吧？

段小楼：这，啊，二十一年了。

程蝶衣：二十二年。

段小楼：对，二十二年了。我们哥俩也有十年没见面了。

程蝶衣：十一年，是十一年。

段小楼：是，是十一年，是。

看门人：都是"四人帮"闹的，明白。

段小楼：可不？都是"四人帮"闹的。

看门人：现在好了。

段小楼：可不？现在好了。……是，是。

看门人：您二位在这儿等一会儿，我去给您开灯去啊！

段小楼：噢！您受累。

【背景字幕：一九二四年，北平，北洋政府时代】

▶ 北京天桥

路　人：哟，这不是艳红吗？老没见，你可想死我了！臭娘子，你！

关师傅：各位爷，多捧场了啊！

一孩子：小癞子又跑了！

关师傅：好小子，我看你往哪儿跑！去给我追回来！各位，各位，多包涵
　　　　着点啊！

师　爷：爷们儿，爷们儿，您高抬贵手！

地　痞：什么下三滥的玩意儿，也敢在这儿露脸？

小石头：我操你们大爷！各位爷都站好甭动，真钱买真货！我小石头今儿
　　　　玩真的，让爷们儿开开眼！

▶喜福成戏班，院内

小石头：哎哟！

关师傅：嚷嚷什么？我还没招呼呢！你个狗屁的大师兄，你他妈连个猴儿
　　　　都演不了，日后怎么做人哪你？别当你今天你玩了个邪，拍了个
　　　　砖，你以为我饶了你啊？那是下三滥的玩意儿。

师　爷：我叫你们跑！跑！

▶院外

磨刀匠：磨剪子来，锵菜刀！

▶厅堂

关师傅：您这孩子，没吃戏饭的命，您带
　　　　回去吧。您想呀，他这一亮相，
　　　　那台底下听戏的人不都吓跑了？

▶院外

磨刀匠：锵菜刀！

▶厅堂

小豆子妈：不是养活不起，实在是男孩大了留不住，这才来投奔您来了。
　　　　　您老好歹得收下他。您只要收下他，怎么着都成啊。您别嫌弃
　　　　　我们。

关师傅：哎，别介，都是下九流，谁嫌弃谁呀？他祖师爷不赏饭吃，谁也
　　　　没辙！起来！

▶ 院外

小豆子：娘，手冷，水都冻冰了。

▶ 院内

小豆子：娘！

▶ 宿舍

孩子一：哪儿来的窑子里的？一边去！

孩子二：窑子里的东西，掉地上喽……

小石头：快快快，我冷死啦。你们是不是欺负他来着？过来，跟我睡吧！呵呵，够横的啊，你！小癞子，睡和尚被窝里去。嘿，接着！外面冷极啦！小爷儿我撒的尿在牛牛眼上可就结成冰溜子了，差点没顶我一跟头！

孩子三：好！

▶ 练功房

关师傅：他是人的，就得听戏。不听戏的，他就不是人。什么猪啊，狗啊，它就不听戏。是人吗？它畜牲！所以呀，有戏就有咱梨园行！

师　爷：唉，别嚷嚷，别嚷嚷，我不爱听！

伙　计：过来！套！立腰！

师　爷：要想人前显贵，您必得人后受罪。今儿个是破题，文章还在后头呢！

小癞子：小豆子，没事，朕都耗了一炷香了。

小石头：豆子，忍着点。

关师傅：小石头，在替谁偷工减料呢？

小石头：师父，我练腿眼朝天，没留神底下呀。

关师傅：废话！取活去！

伙　计：快去！

关师傅：现在来神了！

伙　计：快点！

小石头：师父！

关师傅：起来！怎么，你当是完啦？还有一说哪！

小石头：是！"在班结党者，罚！"

小癞子：我他妈小癞子，什么都不怕！

关师傅：打自有唱戏的行当起，哪朝哪代它也没有咱们京戏这么红过！
　　　　你们算是赶上了！

众孩子：没错！

▶ 宿舍

小石头：（念）"此乃天亡我楚，非战之罪也！"小爷我今儿练的是九转
　　　　金炉的火丹功。我到外外外面我凉快凉快去。我成火人了，离
　　　　我远点！

▶ 野外

众孩子：（唱）"力拔山兮气盖世，时不利兮骓不逝。"

▶ 练功房

众孩子："传于我辈门人，诸生须当敬听；自古人生于世，需有一技之能；
　　　　我辈既务斯业，便当专心用功；以后名扬四海，根据即在年轻。"

师　爷：一边练去。你的《夜奔》？

小癞子：（念）"回首望天朝，急走忙逃……顾……顾不得……"

师　爷：顾不得什么？"顾不得忠和孝"！

小石头：（念）"想俺项羽乎，力拔山兮气盖世，时不利兮骓不逝，骓不
　　　　逝兮可奈何，虞兮虞兮奈若何！"

师　爷：成！一字不差！伸手！打你，是让你记着，下回还得这么背！

小豆子：（念）"小尼姑年方二八，正青春被师父削去了头发……"

师　爷：下文呢？

小豆子："我，我本是男儿郎……"

师　爷：嗯？

小豆子："我，我本是男儿郎……"

师　爷：你本是女娇娥！我叫你错！你错！我打你小癞子！你还错！你
　　　　还错！戏怎么唱啊？

小癞子：小癞子再也不敢了！

师　爷：你再打！你的《思凡》！

小豆子："我……我本是……我本是……"

师　爷：你本是什么呀？

小豆子："我本是男儿郎……"

师　爷：尼姑是男的还是女的？

小豆子："是……男儿郎……"

师　爷：您倒是真入了化境了，连雌雄都不分了。

▶ 师父房内

小豆子："我……我……我本是男儿郎……"

伙　计：师傅说的戏，你全忘了？下次再忘就往死里打你。

师　爷：让你错，我让你错！让你错！

伙　计：小子，长点记性！

▶ 洗澡房

小豆子：师哥，赶明儿我要是给打死了，枕席底下有仨大子儿，就给你了。

小石头：留神！别进水！手毁了就唱不了戏了。

▶ 宿舍

小石头：豆子，过两天就要给祖师爷上香了，你
　　　　就想你自己是个女的，可别再背错了！

▶ 院内

孩子一：癞子，吃过豌豆黄吗？

小癞子：豌豆黄？豌豆黄算个屁呀？

孩子二：吃过驴打滚吗？

孩子三：盆儿糕呢？

小癞子：都是她妈狗屁，不好吃！

孩子一：那你说什么好吃？

小癞子：天下最好吃的，冰糖葫芦数第一。我要成了角儿，天天得拿冰糖
　　　　葫芦当饭吃。

（画外音）冰糖葫芦！

小癞子：甭这么瞧着朕，朕又不是冰糖葫芦！

孩子一：癞子，哈拉子都流出来了！

小石头：你干吗呢你？回来！

小癞子：嘿哟，这么大个儿的风筝，一堆呢！

▶ 院门口

小石头：回去，回去！

小癞子：小豆子！快跑！

▶ 胡同

小石头：站住！

小癞子：小豆子！

小豆子：师哥，枕席底下那仨大子儿，你别忘了！

小石头：反正你废了，滚吧！

▶ 大街上

小豆子：哎，哪儿来的？

小癞子：你那仨大子儿买的呀。小石头甭想花了，让朕受用了吧！哎，一串十个，我给你俩怎么样？怎么了，你？

小豆子：我憋了泡尿。

小癞子：大街上可不兴撒尿。

路　人：靠边点，靠边点。

小癞子：角儿来了！这儿有近道，走近道！

那　坤：哎哟，我的角儿！您这可是星宿下凡了！您今儿就是一声喷嚏，也得是满堂彩儿！

角　儿：您受累了！

那　坤：今天不挤出几条人命就上上大吉了！

【背景字幕：京剧《霸王别姬》】

▶ 戏园楼下

小癞子：哎，你先驮着我，待会儿我驮着你啊。霸王！霸王！他们怎么成的角儿啊？得挨多少打呀？得挨多少打呀？我什么时候才能成角儿啊？

▶ 戏园楼上

小癞子：哎，怎么个意思？你怎么尿我一脸呢，你！

▶ 回戏班路上

小癞子：我就知道你要回来。离了小石头，你就活不了了！回去你又得挨刀胚子，我反正不怕，早就打皮实了，师父打我就跟挠痒痒似的！吃了糖葫芦我就是他妈角儿了！我他妈怕谁呀？

师　爷：好小子，你们还回来呀？你跑……

▶ 戏班院内

小石头：打得好，打得好！

关师傅：反了你了！你开门放人！我打死你！

师傅一："背班逃走者，罚！"

小石头：师父，再也不敢了，饶了我吧！师父，再也不敢了，我错了！

关师傅：叫你放人，我打死你！

小石头：师父，饶了我吧！师父，饶了我吧！下次再也不敢了！

关师傅：我打死你！我打死你！

关师傅：我打死你！抓住他！抓住他！

小石头：师父，饶了我吧！师父，饶了我吧！再也不敢了！

小豆子：师父，是我自个儿跑的，不关师哥的事。您打我！

关师傅：我叫你跑！我打死你呀！……你以为我不敢打你呀！我打死你！你当我不打你！我打死你！

小石头：豆子，说呀，说呀，开口呀！讨个饶呀，说打得好呀，说呀！

关师傅：我打死你，你跑，你跑！

小石头：开口！说呀！

关师傅：打死你，打死你咱们散伙儿！我打，我打死你！

小石头：你把小豆子打死了！我跟你拼了！

师　爷：关爷，关爷，了不得了！他……

▶ 练功房

关师傅：《霸王别姬》讲的是楚汉相争的故事。楚霸王，何许人也？那是天下无敌的盖世英雄，横扫千军的勇将猛帅。可老天却偏偏不成全他。在垓下中了汉军的十面埋伏，让刘邦给困死了。那天晚上，刮着大风，刘邦的兵唱了一宿的楚歌。楚国的人马以为刘邦得了楚地，全都慌了神了，跑光了。听得霸王也掉下泪来。人纵有万般能耐，可终也敌不过天命啊！那霸王风云一世，临到头就剩下了一匹马和一个女人还跟着他！霸王让乌骓马逃命，乌骓马不去；让虞姬走人，虞姬不肯。那虞姬最后一次为霸王斟酒，最后一回为霸王舞剑，而后拔剑自刎，从一而终啊！讲这出戏，是这里边有个唱戏和做人的道理：人得自个儿成全自个儿。

▶ 野外

众孩子：（唱）"力拔山兮气盖世，时不利兮骓不逝……"

▶ 戏班院内

关师傅：张宅上把订戏的差委了您，那您就是我们喜福成的衣食父母，您抬举抬举呢，孩子们年下就穿上新衣裳了。

那　坤：衣裳好穿，戏活难做！

关师傅：对！

那　坤：张公公那是当年陪太后老佛爷听过戏的主儿。

关师傅：那是那是！

那　坤：糊弄得了吗？敢吗？

关师傅：不敢。

那　坤：玩意儿要是不灵，新衣裳？砸了我的脸面没什么，像您这样的，能把您给囚起来。

关师傅：喳！喳！

那　坤：这孩子有点儿意思啊。学几年戏啦？

关师傅：小豆子，快，快，过来，过来，给经理请安哪！

那　坤：嗯，身段也还不错。有点儿昆腔的底儿没有啊？

关师傅：学了两出。

那　坤：男怕《夜奔》，女怕《思凡》。就来段《思凡》吧！

小豆子：（念）"小尼姑年方二八，正青春被师父削去了头发。我本是男儿郎，又不是女娇娥，为何……"

关师傅：哎，哎，哎！那爷，那爷，实在是对不住您哪！实在是对不住！

那　坤：关爷，回头见，改日再见。

关师傅：这孩子平常不是这样的。

小石头：谁叫你回来啦？我叫你错！我叫你错！张嘴，张嘴，张嘴！错！错呀你！我叫你错，我叫你错，错……来！

小豆子：（念）"我本是……我本是女娇娥，又不是……小尼姑年方二八，正青春被师父削去了头发。我本是女娇娥，又不是男儿郎，为何腰系黄绦，身穿直裰，见人家夫妻们洒落，一对对着锦穿罗，不由人心急似火，奴把袈裟扯破！"

【背景字幕：京剧《霸王别姬》】

▶ 张宅堂会

小豆子：（唱）"自从我随大王东征西战，受风霜与劳碌，年复年年，恨只恨无道秦把生灵涂炭……"

仆　人：关爷！关爷！

关师傅：张公公，您寿比南山！

小豆子：（唱）"只害得众百姓痛苦颠连……"

演　员：（念）"大王回营啦！"

小豆子：（念）"大王！"

小石头：（唱）"此一番连累你多受惊慌……"

▶ 张宅屋内

管　家：这是老公公特特地赏给两位小角儿的，谢赏去吧！

关师傅：喳！

▶ 张宅屋内

小石头：霸王要是有这把剑，早就把刘邦给宰了，当上了皇上，那你就是正宫娘娘了。

小豆子：师哥，我准送你这把剑！

那　坤：哎哟，当心哪，当心，我的小爷儿！这可是把真家伙。

▶ 张宅院内

那　坤：慢着您，来了，来了来了。

小豆子：怎么啦？

小石头：眉毛这儿，汗一蛰，生疼！

关师傅：俩孩子一块儿去吧？

管　家：老规矩了，多少年的老规矩了！

那　坤：关师父，这您不明白就说不过去了！您说这虞姬她怎么演，她也
　　　　得有一死不是？您说呢？

小石头：师父？小豆子！小豆子！

▶ 张公公卧室

张公公：今年是什么年？

小豆子：是民国二十一年。

张公公：不对！是大清宣统二十四年！你，过来！

小豆子：我……我要找我师哥！我……我想撒尿。

张公公：就往这里头撒。就往这里头撒。你这样
　　　　的往里头撒，不算糟蹋东西。来，来，
　　　　来呀！

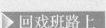

▶ 回戏班路上

小石头：豆子！

管　家：关老板，张公公让我谢谢您！

小石头：你怎么了？说话呀！哑巴啦？说话呀！

关师傅：小豆子，一个人有一个人的命，你还是把他放回去吧。

▶ 戏班院内

关师傅：好了，好了，好了！瞧这儿，瞧这儿！

▶ 照相馆内

照相师：二位老板少年裘马，甭管穿什么衣裳，什么款式，只要一上身，
　　　　保管您都体面，都标致！

照相师：好！好！

（画外音）反对日本增兵华北！

照相师：糟了糟了！又是那些学生！

【背景字幕：一九三七年，"七七"事变前夕】

▶ 大街上

学　生：保卫平津！保卫华北！打倒日本帝国主义！

学生一：哎，这不是照片上那俩戏子吗？

学生二：眼瞅就要当亡国奴了，你们知道吗？

学生三：妖里妖气的你们唱什么戏？没家没国的，你们有没有中国人的良心？

段小楼：哎，哎，哎，都看清楚了啊！这是正经八百的中国人！你们他妈都给我看清楚了！

那　坤：没错，没错！正经八百中国人！中国人不打中国人！都是一个老祖宗！老祖宗错得了吗？错不了！

段小楼：一个个都他妈忠臣良将的模样。这日本兵就在城外头，打去呀！敢情欺负的还是中国人哪！

那　坤：瞎哄呗！学生们，他不都没娶过媳妇嘛，火力壮，又没钱找姑娘，总得找个地界他们撒撒火去，是不您说？

程蝶衣：领着喊的那个唱武生倒不错。哎，咱们第一出《别姬》在哪儿唱的来着？

段小楼：驴年马月的事全让你记住了。

那　坤：哎，段老板，您这不能忘了！那不是张公公府上的堂会吗？我保的二位小爷嘛，二位的发祥宝地，是不？

段小楼：那是！蝶衣，那儿现在成了棺材铺了。

程蝶衣：我昨儿刚去的。

那　坤：又去找那把剑去了，是不？早不知卖哪儿去了。

▶ 戏园门口

观　众：程蝶衣！程蝶衣！

小　贩：冰糖葫芦！冰糖葫芦！

那　坤：坐得是汪洋汪海，一个个都伸着脖子，等着瞻仰您二位风采呢！袁四爷专门来捧您的场子，您这面子天大了去了！

▶ 舞台幕后

经　理：马后，马后马后……没扮上呢！

▶后台

经　理：段老板，急急风催半天了，您再紧把手！

段小楼：知道了，知道了！我先亮一嗓子，让他们知道票没白买不就得了？

【背景字幕：霸王别姬】

▶戏园

程蝶衣：（唱）"自从我随大王东征西战，受风霜与劳碌，年复年年……"

那　坤：四爷，您说到没到人戏不分，雌雄同在的境界？您给断断！

程蝶衣：（唱）"恨只恨无道秦把生灵涂炭……"（念）"大王！"

段小楼：（唱）"此一番连累你多受惊慌！"

▶后台

程蝶衣：哎，袁四爷今儿个来捧场啦！

段小楼：没听见我盖着唢呐唱吗？把血都挣出来了。我就让他听明白了，没他四爷的捧场，咱在北平也照唱照红！

程蝶衣：那你也悠着点。

段小楼：没事儿！到了肯节上，我两手轮着撑在腰里，帮着提气。

程蝶衣：这儿？

段小楼：不对！

程蝶衣：这儿？

段小楼：嗯。

程蝶衣：这儿！

段小楼：哎哟喂！你别闹！

程蝶衣、段小楼：四爷！

袁世卿：久仰！久仰！二位果然是不负盛名。

段小楼：四爷，您捧场！

袁世卿：唐突了点儿，算是见面礼。

那　坤：哎哟，都说当年太后老佛爷，她老人家赏戏有这样的手面吗？有吗？没有吧！四爷，您这让我们蝶衣怎么当得起呀？

袁世卿：《霸王别姬》这一折，渊源已久，本是从昆剧老本《千金记》里脱胎出来的。好多名家都在这出上唱栽过。独你程老板的虞姬，快入纯青之境。有点意思了！有那么一二刻，袁某也恍惚起来，疑为虞姬转世再现啦！段老板，霸王回营亮相，到和虞姬相见，按老规矩……

段小楼：四爷。

袁世卿：按老规矩是定然七步，你只走了五步。楚霸王气度尊贵，要是威而不重，不成了江湖上的黄天霸了？

段小楼：四爷，您梨园大拿呀！文武昆乱不挡，六场通透，您能有错吗？

袁世卿：噢。

段小楼：您要是都出了错，那我们兄弟这点玩意儿还敢在北平的戏园子里露吗？

程蝶衣：四爷，您得栽培我们。

袁世卿：如不嫌弃，请二位到舍下小酌几杯，然后细谈。实话说，这出戏的学问还真是不浅……

段小楼：哟，四爷，对您不住！赶巧了，我得喝一壶花酒去。

袁世卿：另有雅趣！好！程老板呢？那么日后踏雪访梅，再谈不迟。失陪了。

程蝶衣：四爷您慢走。

段小楼：蝶衣，我也走了。

▶ 妓院

妓院老板：彩凤、金燕、丽君、淑瑗、秋香，接客啦！

侍　者：哟！段老板，您来啦！

众妓女：哟！段老板，有些日子没来了，这心里还怪惦记的。

段小楼：会会菊仙姑娘。

妓院老板：哟，这话怎么说的呢？您倒早，您倒早言语呀！菊仙姑娘这阵子不在，她出条子应饭局子去了。这可怎么好？要不这么着吧！姐给你找个好的。彩凤，你来陪陪段老板。小楼，我就不陪你了。

段小楼：给哥哥透个实情，菊仙姑娘在哪间屋啊？是在底下呀？还是在上头？

彩　凤：凤凰当然栖高枝呀。可人家是头牌，你够得着吗？

段小楼：让你说着了，哥哥我就是专傍头牌的。

嫖客一：哎呀，菊仙姑娘！

菊　仙：王八蛋！

嫖客一：王八蛋就王八蛋！

彩　凤：去呀，你不是要傍头牌吗？看这几位爷不把你剁了当菜吃。

菊　仙：告诉你，我真急了！

众嫖客：急了……急了好呀！

菊　仙：再闹！再闹我跳了！

嫖客一：你跳呀！你前脚跳，我后脚跳。宁在花下死，做鬼也风流！

嫖客二：我们就跟你死，做你的棺材板。棺材板……你跳啊！

菊　仙：小楼！这帮小子坏透了！他们逼着我，嘴对嘴地喂他们酒喝。怎么着？王八蛋！你们跳呀！姑奶奶跳了，怎么着？王八蛋，都是她妈丫头养的！

众嫖客：下去，下去就他妈下去，走！全闪开！闪开！让开！让开！

嫖客一：啊，是段老板哪！段老板，咱们到这儿来可都是来找乐子的，扔出去的，可都是白花花响当当的大洋啊！

嫖客二：今儿个谁跟谁都别找不痛快！

嫖客三：别找不痛快！

嫖客一：走吧！

菊　仙：松手！

段小楼：哎！别介呀！

嫖客二：别介！

嫖客一：忸了？

段小楼：菊仙，这可就是你的不周到了，你怎么没告诉各位爷今儿是什么日子？

嫖客二：啊，这怎么回事啊？

段小楼：今儿个不是咱俩定亲的喜日子吗？

菊　仙：对！今儿个是姑奶奶定亲的喜日子。怎么着？给姑奶奶贺喜吧！给姑奶奶敬酒吧！

嫖客一：爷们儿，哄他妈谁呢？

段小楼：各位爷，今儿是我大喜的日子，我得敬敬各位爷！给各位爷醒醒酒，给我叫一个好！

妓院老板：哎，小楼！

▶戏园后台

段小楼：呵！

程蝶衣：听说您在八大胡同打出名来了？

段小楼：这武二郎碰上西门庆，不打，不打能成吗？

程蝶衣：这么说，有个潘金莲啦？

段小楼：这是什么话？

程蝶衣：你想听什么话？

段小楼：嗨，不过是救人解难，玩玩呗，又不当真。蝶衣，什么时候一块儿去逛逛，就知道了。嘿哟！

段小楼：兄弟，对不住，兄弟！师哥今儿神不在家，说走嘴了。师哥该死！

程蝶衣：你忘了咱们是怎么唱红的了？还不就凭了师父一句话？

段小楼：什么话呀？

程蝶衣：从一而终！师哥，我要让你跟我……不对……就让我跟你好好唱一辈子戏，不行吗？

段小楼：这不……这不小半辈子都唱过来吗？

程蝶衣：不行，说的是一辈子！差一年，一个月，一天，一个时辰……都不算一辈子！

段小楼：蝶衣，你可真是不疯魔不成活呀！唱戏得疯魔，不假，可要是活着也疯魔，在这人世上，在这凡人堆里，咱们可怎么活哟！来！给师哥勾勾脸。

▶剧场

段小楼：（念）"妃子！四面俱是楚国歌声，定是刘邦得了楚地，孤大势去矣！"

程蝶衣：（念）"大王！"

段小楼：（念）"依孤看来，今日是你我分别之日了。"

▶妓院

妓院老板：真他妈想当太太奶奶啦你？做你娘的玻璃梦去吧！你当出了这门儿，把脸一抹洒，你还真成了良人啦？你当这世上狼啊虎啊就都不认得你啦？

菊　仙：哟，可吓死我啦！

妓院老板：我告诉你，那窑姐永远是窑姐。你记住我这话，这就是你的命！

菊　仙：成，回见了您哪。

▶剧场

剧场人员：袁四爷送条幅——"风华绝代"！

观　众：程蝶衣！程老板！程蝶衣！

▶后台

段小楼：哟，你怎么上这儿来了？又怎么了，菊仙？来来来，进来，进来说。

菊　仙：你出来。

段小楼：嘿，怎么光着脚啊？这么凉的天。出了什么事啦？

菊　仙：赶出来了！花满楼不留许过婚的人。

工作人员：程老板！

段小楼：来来来来来，过来，过来见见。这是菊仙小姐。这就是我的亲师弟，你瞧见了，演虞姬的。

菊　仙：哟，常听小楼念叨您，听都听成熟人了。

程蝶衣：噢，菊仙小姐，失陪了。

菊　仙：小楼，那天在花满楼，要不是你在楼底下接着，我早就入土了。那杯定亲酒可是你先喝了一半。菊仙命苦，你要是收留她，有人当牛做马侍候你；你要是嫌弃她，大不了，她再跳回楼。

众　人：好！

演员一：这妞可够厉害的！

那　坤：服，我服！这他妈就是一本大戏呀！

众　人：是！

那　坤：什么时候"洞房花烛夜"呀？

段小楼：今儿晚上。

众　人：好！

菊　仙：还有哪，你呀，得当着戏班子老少爷们的面儿，先给我办定亲礼，我得堂堂正正地进你段家的门。

段小楼：嫌我偷工减料啊？那成，今儿晚上就是定亲礼，我请各位赏光！

程蝶衣：菊仙小姐，您在哪儿学的戏呀？

菊　仙：哟，我哪儿学过戏呀！

程蝶衣：没学过呀？那就别洒狗血了！

段小楼：蝶衣，叫声嫂子吧！不叫不成了。还有今儿晚上证婚人这活儿你
　　　　得给我接下来。

程蝶衣：黄天霸和妓女的戏，不会演。师傅没教过。

那　坤：这是哪儿话啊？

菊　仙：师弟，小楼在人前人后提起您来，说的可都是厚道话啊！

程蝶衣：别走！你上哪儿去？

段小楼：我上哪儿去，你管得着吗？

程蝶衣：师哥！师哥你别走！袁四爷今儿晚上请咱们过去，要栽培咱们。

段小楼：姓袁的他管得着姓段的吗？我是假霸王，你是真虞姬。让他栽培
　　　　你一个人去吧。

程蝶衣：师哥！师哥！

袁世卿：这对翎子，难得！是从活雉鸡的尾巴上生生收取的，这才够柔
　　　　软，够伶俐，够漂亮！我恭候大驾啦！

▶袁四爷家

袁世卿：尘世中，男子阳污，女子阴秽，独观世音集两者之精于一身，欢
　　　　喜无量啊！这把剑有些来历，是大太监张某的旧物。张家破败时，
　　　　是费了大周折弄到手的。如此看来，此物是你的旧相识了！果然
　　　　世上的事是踏破铁鞋无觅处啊！喜欢？

程蝶衣：我……

袁世卿：你我之间不言钱，那个字眼实在不雅。自古宝剑酬知己。程老
　　　　板，愿做我的红尘知己吗？

程蝶衣：（唱）"汉兵已略地，四面楚歌声。君王意气尽，贱妾何聊生？"

袁世卿：别动！这是真家伙！一笑万古春，一啼万古愁！此境非你莫属，
　　　　此貌非你莫有。

▶大街上

日本兵：回来，你要去哪？是个疯子！

▶段小楼家

那　坤：哟，程老板，准知道你就得回来。这上座都给你留着呢！

菊　仙：小楼！

段小楼：好你个蝶衣！这面子你总算给师哥了。要不然……

程蝶衣：你认认！

段小楼：噢，好剑！又不上台，要剑干什么？

菊　仙：师弟呀，今儿个你可来晚了。该罚你一杯。

段小楼：对，得罚一杯！

程蝶衣：多谢菊仙小姐。

那　坤：蝶衣，程老板！

程蝶衣：小楼，从今往后，你唱你的，我唱我的！

那　坤：哎！别呀，程老板，这可不能够！这不是……戏迷们还不得……

百姓一：了不得了！日本……日本进城，进城了！

段小楼：蝶衣，蝶衣呢？

【背景字幕：京剧《贵妃醉酒》】

▶戏园

演　员：（念）"启娘娘，高力士敬酒！"

程蝶衣：（念）"高力士，你敬的什么酒？"

演　员：（念）"奴婢敬的乃是通宵酒。"

程蝶衣：（念）"呀呀啐！哪个与你们通宵？"

段小楼：师弟说，这眉子得勾得立着点才有味儿。

程蝶衣：（唱）"人生在世如春梦……"

演　员：（念）"您且自开怀吧！"

程蝶衣：（唱）"且自开怀饮几盅。"

▶后台

剧场人员：段老板，你看这个。

段小楼：哎，这不成！您得让他给我脱下来。

菊　仙：小楼！

伪　军：这才是你的戏衣，他就是要你姥姥身上的寿衣，你也得乖乖地给
　　　　扒下来。听明白了吗？戏子？

▶程蝶衣家

程蝶衣：跟日本人说，我马上就去！

那　坤：哎，慢着啊！这哪儿是什么堂会呀！这就是讹您去给他们唱一回。您说这不去吧，眼下能救小楼的，除了您没旁人了。您要是去吧，万一您自个儿再出点什么差池，我这个戏园子，得，好，去，去！

仆人一：菊仙小姐，你干什么？

仆人二：小姐，程老板不在家！

菊　仙：蝶衣呢？蝶衣！你赶紧着呀！都说日本人会放狼狗掏人心吃，他又是那个脾气，你要去晚了，他可就没命了！师弟！

程蝶衣：我师哥可是在您的手上让人逮走的。

菊　仙：你这是什么话嘛？小楼打小是怎么待你的？

程蝶衣：您知道就好！

菊　仙：那爷！

那　坤：哎！

菊　仙：请您先退一步。

那　坤：哎，好！

菊　仙：我跟我师弟有几句私房话要说。

那　坤：都说菊仙姑娘聪明，不然不能这时候来。都是为了小楼，有话好商量！

菊　仙：干脆明说了吧，您倒是去还是不去？说话呀你！我明白你的心思，要不这么着吧，你只要囫囵个地把小楼给弄出来，我哪来哪去，回我的花满楼，躲你们俩远远的，成了吧？要说在花满楼，还真个不操闲心的地方，日子过得轻省多了。

程蝶衣：这可是您自个儿说的。

菊　仙：一言为定！

【背景字幕：昆曲《牡丹亭》】

▶日军司令部内

程蝶衣：（唱）"原来姹紫嫣红开遍，似这般都付于断井颓垣，良辰美景奈何天，便赏心乐事谁家院。"

▶日军监狱外

菊　　仙：小楼！小楼！

程蝶衣：师哥！师哥！

菊　　仙：小楼，你没事吧？

段小楼：你给日本人唱了？

程蝶衣：有个叫青木的，他是懂戏的！

菊　　仙：小楼，你！

▶段小楼家

段小楼：好了，来吧。

菊　　仙：我再喝一杯。

段小楼：我，我替你喝。来。

▶袁世卿家餐厅

袁世卿：这就是"霸王别姬"。依我之见，你们这戏演到这份儿上，竟成了姬别霸王，没霸王什么看头了！喝了它，您定能纤音入云，柔情胜水。

▶袁世卿内室

程蝶衣：别动！

▶段小楼家

菊　　仙：不唱戏了。往后啊，我太太平平地跟你过日子，再生个大胖小子，我一下得俩，够了。不唱戏了！

▶段小楼家院内

小伙子：走，走走走走走。

菊　　仙：赶紧走！弄一个破虫子。

小伙子：大哥，回见！

菊　　仙：行了，行了。拿出来，谁要你这破蛐蛐，你借他的钱呢？你别看他今个儿高兴，想讹他。把钱拿出来！赶紧着！

段小楼：玩蛐蛐，大爷乐意！

菊　仙：赶紧走吧。站起来都是七尺高的老爷们儿。放着正经营生不做，在一个小虫子身上找饭辙，德行！

段小楼：正经营生？我姓段的就会唱戏。戏你不让我唱了，我不玩蛐蛐，我干吗去啊？我抬棺材掏大粪去？我他妈不过了！得，这下你乐了吧？

菊　仙：瞧你，真生气啦？拿着。你还没完啦？得！……算我话说重了，成了吧？哎，你要不是这么着啊。他们就像那狗尿苔似的，长咱们家了。哎，科班那个关老爷子说让你去啊。

段小楼：不去！没脸见师傅！（念）"看那剑！"

▶ 喜福成戏班院内

伙　计：老爷子，他们都到了！

关师傅：谁呀？

伙　计：蝶衣，小楼。您一叫，他们立马就来看您来啦。

关师傅：哎哟！这可怎么了不得了！

段小楼：师父！

关师傅：是两位角儿来啦！

段小楼：徒弟该死。

关师傅：哎哟，我这面子天大了去啦，我这怎么当得起？请坐，请坐，受老朽一拜！

段小楼：徒弟不敢！

关师傅：不敢？而今什么你们不敢？程蝶衣，当初是你师哥把你成全出来了，现在你师哥不唱戏了，你也该拉他一把吧。快着点啊！给我动手啊！小豆子！小石头！你们俩起小那点故事，话说来长啦！怎么……现在成角儿了，谱大了！就什么都忘了？到了这时候就不忍心啦？我叫你纵着他！我叫你护着他！我叫你看着他糟蹋戏！我叫你看着他糟蹋戏！

段小楼：师父……是我没出息！您打我！

菊　仙：老爷子，您猜怎么着？现而今小楼可是我的人了……您打他也成，您得先告诉我一声啊。

段小楼：菊仙！

关师傅：哟，您是花满楼那姑娘不是？哎哟，您今儿个可是第一位贵客，

　　　　　　您可得坐好，喝好，啊，看好了再去！

伙　　计：您请。

关师傅：我叫你吃喝嫖赌！

段小楼：打得好！

关师傅：我叫你玩蛐蛐！

段小楼：打得好！

关师傅：我叫你当行头！

段小楼：师傅保重！

关师傅：我叫你糟蹋戏！

段小楼：打得好！打得好！打得好！

菊　　仙：慢着！这当师哥的糟蹋戏，您活该打他！可这当师弟的这个……
　　　　　请问您这算什么？

段小楼：菊仙！

菊　　仙：我既是花满楼的，自然不归你们喜福成科班的管。可是您这当师
　　　　　父的，也不能只听一面之词不是？

段小楼：闭嘴！老爷们儿的事，没你说话的份儿！

菊　　仙：段小楼，你可真知道疼人哪！再打呀！

段小楼：你再胡信，我他妈打死你！

伙　　计：别！别介！

段小楼：别拦着我！

菊　　仙：好啊！今儿个你打死我，算你赚了一个！让你老段家断子绝孙去
　　　　　吧！

关师傅：谁让你们俩站起来的？小石头啊，听见了没有啊？你也是个快当
　　　　　爹的人了！这么瞎混下去，丢了玩意儿，以后你拿什么请我喝满
　　　　　月酒啊？啊？跪近点！再靠紧着点儿！

▶戏班院内

关师傅：好好练，好好练！都拿稳了！腿伸直了，给我绷直了。昂着头，
　　　　　挺直腰！别断！慢着慢着慢着！你练的这是《夜奔》,扮的是林冲，
　　　　　林冲是什么人哪？那是八十万禁军教头，不是小毛贼。拿着！都
　　　　　瞧我的！看看什么是盖世英雄！（念）"丈夫有泪不轻弹，只因
　　　　　未到伤心处！"

▶戏班院内

小　四：别动，师父罚我七天都跪，还没到日子呢！

段小楼：科班都散了，你还傻跪什么呢？

小　四：师父说了，要想成角儿，就得自个儿成全自个儿！

段小楼：旁人都走了，你也家去吧！

小　四：我打小被捡回来的，没家！

程蝶衣：没告诉谁捡的你？

小　四：没告诉，说怕我知道了是谁，犯狂，不用功。

程蝶衣：还想唱戏吗？

小　四：唱，要饭也唱！也要成角儿！

程蝶衣：你叫什么名字？

小　四：小四。

程蝶衣：小四。

【背景字幕：一九四五年，日本投降】

▶戏园

程蝶衣：（唱）"只听得众兵丁们谈论……"

菊　仙：四儿，你下去跟经理说，别闹出事来。

小　四：哎。

程蝶衣：（唱）"口声声露出了离散之心……"

国民党兵：嘿，怎么不唱了？接着唱！

那　坤：别乱！小楼，去不得啊！去不得……

段小楼：各位老总！这戏园子里头，没有用手电筒晃人的规矩，连日本人也没那么闹过。大伙儿都是来听戏的，请回座上去吧。

军　官：说得好，回去！可是有一样！替日本人叫好，成不成？

国民党兵：不成！

军　官：打！

国民党兵：打！

段小楼：我操你大爷！

菊　仙：小楼！小楼！你放开他，放开他……

段小楼：菊仙！我在这儿，菊仙。

那　坤：快，凳子！

伙　计：您瞧，段太太……

那　坤：赶紧送医院，先保住大人再说，赶紧着呀！

　众：让开！让开！

那　坤：哟，这不就是公共治安这么点事吗？还至于、至于劳动诸位，弄出这么大的动静？罚款！罚款！

段小楼：还要抓人哪？这戏园子砸了，人也快打死了！你还要抓人哪？快把他放开。你们凭什么抓人？

警　察：凭什么？程蝶衣犯的是汉奸罪！走！

段小楼：你们凭什么说他是汉奸？啊？

小　四：师父！师父！

段小楼：你们凭什么说他是汉奸？

伙　计：段老板！段老板，孩子怕是保不住了。

菊　仙：小楼，我真对不住你。你忙你的去吧！

▶ 段家小楼

菊　仙：你这师弟呀，也不知道这世道跟他找别扭呢，还是他跟这世道找别扭，总是轻省不了，早晚还得出乱子！只要你跟他在一起，我这心里就不踏实。咱们的孩子没了，我可就剩你一人了。往后跟你一起去要饭，我都没二话。可就有一样，小楼，你得让我这心里太太平平啊！你把他救出来了，咱们可就不欠他的了，往后你别跟他唱了。你答应我，你得给我立字据，啊？

▶ 袁世卿家

那　坤：四爷……蝶衣这条性命，可就全仰仗您啦！这点，您先打点着，但凡不够，咱们回头再……是吧？

段小楼：袁四爷，您只要是救出蝶衣，我们哥俩三年的包银全归了您。

袁世卿：没你们的包银，你当我就喂不起这几只鸟啦？这位是？

那　坤：不是小楼吗？那什么……，给蝶衣唱霸王的段小楼啊！

袁世卿：那该他救虞姬去呀！

那　坤：哎哟，我的亲老爷子，那不是戏吗？可着这全北平，谁不知道袁四爷才是梨园行的真霸王啊？是吧？

段小楼：是，是！

那　坤：哎，这说到戏，我倒要请教段老板，这霸王回营亮过相去见这虞姬，到底该走几步啊？

段小楼：七步。

袁世卿：走我瞧瞧！走我瞧瞧啊！

那　坤：四爷！

菊　仙：这是袁四爷的府上吧？有位叫程蝶衣的，让人逮走的时候，说是这把剑的主人能救他。您瞧瞧，认得吗？瞧您这意思，我是找对主儿了！那成，这剑哪，我给您搁这儿啦！这剑找着主儿，我也就放心了。可这人哪，也总有指望错的时候。袁四爷，您可别怪罪蝶衣呀。

袁世卿：哎，弄明白了！他给日本人唱堂会，怕不是袁……袁某的指使吧？

菊　仙：哟，要是您袁四爷让他去的，他能让人给逮起来吗？

段小楼：那是！

袁世卿：哎……

菊　仙：一屋子记者都在家里等着呢。小楼，那爷，咱们走！

袁世卿：慢着！话说清楚了。

▶ 监狱

菊　仙：袁四爷让我来关照你，赶明儿个上了法庭，你得说是日本人拿枪逼着你去唱的堂会。在兵营里头给你动了刑。旁的，袁四爷都替你安排妥当了。这是小楼让我交给你的。蝶衣，你别怨我们，小楼的孩子……死了，这就是你们在一块儿唱戏的报应！出去以后，你走你的阳关道去吧。

▶ 法庭

检查官：查伶人程蝶衣在我中华民国对日抗战时期，竟与日寇驻平警备旅团之敌酋青木三郎互通款曲，狼狈为奸，以淫词艳曲为日寇作堂会演出。长敌之气焰，灭我之尊严。敌酋青木三郎在日军投降后，仍有反抗举动，已被我军击毙。其与被告往来之罪证相片已落入我方，现出示法庭，铁证如山。

法庭工作人员：传证人袁世卿、段小楼、那坤出庭。

袁世卿：世卿世受国恩，岂敢昧法？更不敢当众违背天理良心。程蝶衣确实是被日本人用手铐铐走的，还用手枪顶其项背威胁，就是后脖梗子。

法　官：段小楼！

段小楼：是，是。日本人他是打了我师弟！这四爷全说了。

法　官：那坤！

那　坤：他，他……

袁世卿：方才检查官声言程之所唱为淫词艳曲，实为大谬！程当晚所唱是昆曲《牡丹亭·游园》一折。略有国学常识者都明白，此折乃国剧文化中之最精粹。何以在检查官先生口中竟成了淫词艳曲了呢？如此糟践戏剧国粹，到底是谁专门辱我民族精神，灭我国家尊严？

观　众：好！好！

法　官：被告人程蝶衣，证人所述属实吗？被告人，本庭要求你对日本军部事件作自我陈述。程蝶衣！

程蝶衣：堂会我去了。我也恨日本人，可是他们，没有打我。

法　官：被告人程蝶衣，你有义务和权利用事实来证明你清白的人格。你再仔细回忆一下，再作一次陈述。

程蝶衣：青木要是活着，京戏就传到日本国去了。你们杀了我吧！

段小楼：四爷！四爷！

法　官：哎，你们怎么进来了？

▶法庭外

段小楼：四爷，四爷，您不能走啊！四爷！

袁世卿：我走不走，他都死定了！

段小楼：四爷，四爷，您不能走，您走他就完了，四爷……

▶法庭

法　官：本庭宣布：程蝶衣汉奸一案暂停审理。被告程蝶衣交保具结，予以释放。休庭！

　　众：这怎么回事？

段小楼：程蝶衣，你他妈耍我呀你？

法　官：程老板，回头见。

军　官：程先生，请！

▶国民党礼堂

军　人：司令官到！立正！

【背景字幕：昆曲《牡丹亭》】

▶舞台

程蝶衣：（念）"春香！"

演　员：（念）"小姐！"

程蝶衣：（念）"不到园里怎知春色如许！"

▶程蝶衣家

那　坤：（念程蝶衣的信）娘，上信收到了吧？儿在这儿一切都好，您不
　　　　用挂念。我师哥小楼，对我处处照应体贴。我们白天练功喊嗓，
　　　　晚上同台演戏，跟过去往常一模一样。外面世道虽不大好，不过
　　　　我们只求平安。把戏唱完拿回包银，太太平平就是了。嘿，这来
　　　　福就等着您喷它两口香呢！瞧见没有？欢实了不是？哎，蝶衣，
　　　　这信是寄到……

程蝶衣：老地方。

那　坤：哎，得了！这林黛玉要不是焚稿，那叫什么林黛玉呀！您瞅哎，
　　　　这玩意儿我给您淘换来了。要不要？要不要？不要，不要，不要
　　　　我可撕啦！这回真撕了。撕了！哎哟，撕了！

▶戏园子大街

程蝶衣：四儿！

小　四：段师傅收下了！

那　坤：哎哟，这水流千遭，到了还得归海不是？虞姬跟霸王说话，中间
　　　　还得隔着条乌江啊？赶紧着，不然，刘邦可就杀进城来了。哎，
　　　　赶紧！

【背景字幕：一九四八年，国民政府离开大陆之前】

▶ 戏园子大街

那　坤：我们旗人好歹还坐了三百年天下，这民国才几年呀，说话人家就
　　　　兵临城下了！共产党来了，也得听戏不是？新君临朝，江山易主，
　　　　庆典能少得了您二位吗？不能够。咱们就等着点新票子吧！怎么
　　　　着？还敢打人家伤兵不敢哪？

段小楼：他们别瞎闹哄，闹哄急了，照打！

那　坤：别呀，您要有袁四爷那谱，那行。甭管哪朝哪代，人家永远是
　　　　爷，咱们不行！

程蝶衣：还认得我吗？

张公公：抽根！

段小楼：张公公，不认得我们了？

张公公：抽盒！

【背景字幕：一九四九年，中国人民解放军进入北平】

▶ 戏园

程蝶衣：(念)"大王慷慨悲歌，令人泪下！待妾妃歌舞一回，聊以解忧如
　　　　何？"

段小楼：(念)"有劳妃子！"

那　坤：四儿，要什么给人家什么，可千万别动手！

小　四：哎！

段小楼：各位老总，实在是对不住。我们这位角儿，今儿个……

解放军：(唱)"向前，向前，向前！我们的队伍向太阳，脚踏着祖国的大
　　　　地，背负起民族的希望，我们是一支不可战胜的力量！"

▶ 程蝶衣家

伙　计：程老板，您要熬不住，您，您就再抽一口得了！四儿，快去叫段
　　　　老板去！

▶ 礼堂

群　众：(喊口号)打倒反动戏霸袁世卿！袁世卿与人民为敌，死路一
　　　　条！提高警惕，擦亮眼睛！

解放军：综上所述，反革命分子袁世卿，一贯反共、反人民，危害一方，罪恶滔天。不杀不足以平民愤！

群　众：（喊口号）打倒反革命分子袁世卿！打倒反动戏霸袁世卿！袁世卿死路一条！枪毙袁世卿！

法　官：押下去！

段小楼：不杀不足以平民愤？毙啦？就这么把袁四爷毙啦？

菊　仙：你小声点！

▶ 程蝶衣家

程蝶衣：放开我！你放开我！我操你大爷！

段小楼：别闹！你听着，再忍忍就过去了！听见没有？好了，别闹了，再忍忍就过去了……

程蝶衣：我操你大爷！

段小楼：别闹了！再闹我就打你了！别闹了！不要动！

菊　仙：怎么着？

段小楼：看样子得用点药。你看着点，别让他挣蹦出来。

菊　仙：哎，小楼，你可别走啊！

段小楼：不碍了！他要想把大烟戒了，还得脱几层皮呢！这才是个头。

程蝶衣：我冷！娘，水都冻冰了！我冷！娘，水都冻冰了！我冷……

菊　仙：好了，好了！好了，好了！

小　四：解放区的天是晴朗的天，解放区的人民好喜欢。段师母！

菊　仙：你到哪儿去了？

小　四：开会去了！

菊　仙：开会去了？

小　四：嗯。

▶ 程蝶衣家

菊　仙：小楼，师兄师弟们都来了！

段小楼：快请进！

菊　仙：进来，进来呀！

那　坤：哎哟！

师兄弟：换行头了啊？

程蝶衣：多谢大伙来看我，没事了，我好了！

段小楼：说得轻巧，没见遭罪的时候呢！

那　坤：蝶衣，起来吧！全北京的大街小巷都支棱着耳朵，等着听霸王和虞姬出场哪！什么叫"盛代元音"哪？这他妈就是！

▶ 剧场

程蝶衣：大家让我说几句，那我就说几句，说不好。现代戏有意思，可现代戏的服装有点怪。不如行头好看，布景也太实。京戏讲究的是个情境，唱，念，做，打，都在这个情境里面。穿上这一身往布景前头一站，玩意儿再好也不对头了。我就怕啊，这么弄，就不是京戏了。你们说呢？

小　四：怎么现代戏就不是京戏了？

程蝶衣：京戏是什么？就是八个字："无声不歌，无动不舞"。得好看、美。比方说，这个……

小　四：师父，我没听明白。

程蝶衣：等你流上三船五车的汗，就明白了。

小　四：我还是不明白。

段小楼：四儿！

小　四：我就是不明白！为什么古时候的英雄美人上了台，就是京戏，现在劳动人民上了台，就不是京戏了？

程蝶衣：你这……说的是两码事，放肆！

女演员：你什么态度？

小　四：段师傅，您说说。

菊　仙：小楼！外边要下雨了，给你伞。接着！

段小楼：得，知道了！家去吧！一提这论理的事儿，我头就大了。依我看，只要是唱这西皮二黄，它就是京戏。是不是？

那　坤：我发两句言，自打把这戏院交给咱国家，咱就都是新人了。程同志这不对。这现代戏它是个新事，咱们应当拥护，应当支持啊！

▶ 程蝶衣家院内

程蝶衣：功也不练，嗓也不吊，耍贫顶嘴你倒学成了。唱戏的不靠这个，凭的是功夫，本事，玩意儿。没你的近道儿可走！

小　四：罚我跪，你犯法！

程蝶衣：不罚？不罚你永远是下三滥。还想成角儿？做梦！

小　四：没错，你领我来，哪儿是想让我成角儿？你是想找个小力笨儿，小催帮儿，小跟包，小腿子，小龙套！

程蝶衣：你放肆！你大胆！我叫你胡说八道，胡说八道，胡说八道！还不给我跪下！

小　四：师父，永没那日子啦！

程蝶衣：四儿！滚吧！一辈子跑你的龙套去吧！

小　四：程老板，您这话要搁在旧社会说，我信！在新社会说，我不信！我要是再跑龙套，对不起您的栽培！

▶剧场后台

程蝶衣：这么说，你知道？

段小楼：啊？这……我也是刚刚才知道……

小　四：不对吧，段师父！昨儿开会您可是在场的啊！

段小楼：你说的你去通知蝶衣换角儿嘛！啊？

小　四：可后来我觉着，这话您说最合适，您同意了嘛！这话您都不说，还有谁能说啊？

段小楼：舔了！舔了！

师　弟：师哥，您别……您别这样……

段小楼：我他妈不唱了！谁爱唱谁唱去！

菊　仙：小楼！小楼，你不能走！

小　四：段小楼同志，而今台下坐的可都是劳动人民，唱不唱，您自个儿掂量着。

同　事：小楼，虞姬都上了，您该盯场了。小楼！段老板！

小　四：（唱）"自从我随大王东征西战，受风霜与劳碌，年复年年，恨只恨无道秦，把生灵涂炭，只害得众百姓痛苦颠连。"

演　员：（念）"大王回营啊！"

段小楼：（念）"来也！"

小　四：（念）"大王！"

段小楼：（唱）"此一番连累你，多受惊慌！"

程蝶衣：多谢菊仙小姐！

▶ 程蝶衣家外

段小楼：蝶衣！蝶衣，你开开门！蝶衣！师哥给你赔不是，还不成吗？那条小蛇可是你把他焐活的，而今人家已然修炼成龙了！不顺着他，不顺着他能成吗？这戏总得唱吧？这可是你说的。你也不出来看看，这世上的戏都唱到哪一出了。小豆子，你就听师哥一句，服个软！那还不是我的霸王，你的虞姬呀！

程蝶衣：虞姬为什么要死？

段小楼：蝶衣，你可真是不疯魔不成活呀！可那是戏！

【背景字幕：一九六六年，北京，"文革"前夕】

（画外音）"中央人民广播电台，现在播送中国共产党中央委员会《关于无产阶级文化大革命的决定》，1966年8月8日通过。一，社会主义革命的新阶段。当前开展的无产阶级文化大革命，是一场触及人们灵魂的大革命……"

▶ 段小楼家

段小楼：干吗？怎么想起喝酒来了？

菊　仙：想喝一口。反正这俩杯子也沾上"四旧"了，留不住了，不如用上一回！

段小楼：来！还不碎！

菊　仙：我怕！我梦见我站在一个大高楼上，四外都是白云，我就是想往下跳，我想往下跳！

段小楼：你跳呀！我在那儿呢！

菊　仙：你不在那儿，你不在那儿。小楼，你不会不要我了吧？小楼。

▶ 剧院

小　四：这把剑从哪儿来的？

段小楼：是……程蝶衣送给我的。

小　四：送过你几次？

段小楼：两次啊！

小　四：第二次是什么时候？

段小楼：北京快解放的时候。

小　四：在哪儿？

段小楼：在……在戏园子大街。

小　四：当时你说过什么话没有？

段小楼：当时挺乱的，我记不得了。

小　四：你再想想。

段小楼：没有什么呀！

小　四：好好想想。

段小楼：没有，想不起来。

小　四：你说过要对共产党怎么怎么样的话没有？

段小楼：啊？没有！肯定没有！绝对没有！要有，杀了我也不冤！

小　四：要有人证明你说过呢？

段小楼：谁？王八蛋，让他出来！老那！我……我说什么了？

那　坤：要不然我给您提个醒。还敢惹人家伤兵不敢哪？

段小楼：那坤！你血口喷人！你这个反动戏园子老板！你光想保你自己！那坤！

小　四：你说共产党来了，你也照打不误！

段小楼：没……没……没有！我没说！我当……我当时的意思是，我当时是说……不，没有！我什么也没说！那爷，那爷，您得替我……那爷！

小　四：段小楼，你不是从小就拍砖吗？拍给我瞧瞧。拍呀，拍呀！段小楼，你是霸王吗？

段小楼：不，不是。

小　四：你不是一直是霸王吗？

段小楼：那都是戏，不是真的。

小　四：旧社会你去过妓院吗？

段小楼：去过。

小　四：你不觉得可耻吗？

段小楼：我觉得可耻。

小　四：你娶菊仙的时候，她是什么身份？

段小楼：妓女。

小　四：好，你要好好揭发程蝶衣。当然，你也可以不揭发，袁世卿的下场你是亲眼看见的。你自己决定吧。

▶ **大街上**

群　　众：（喊口号）横扫一切牛鬼蛇神！敌人不投降，就叫他灭亡！揪出黑帮，斩断黑手！揪出伸进文艺界的黑手！革命无罪,造反有理！横扫一切牛鬼蛇神！

菊　　仙：小楼！小楼！

群　　众：（喊口号）打倒段小楼！

演员一：段小楼是反动霸王！

演员二：段小楼不老实！

演员三：段小楼，程蝶衣是黑线人物！

群　　众：（喊口号）打倒程蝶衣，打倒段小楼！

红卫兵：说！说！

群　　众：（喊口号）横扫一切牛鬼蛇神！

红卫兵：说！

段小楼：我说！他是个戏痴，戏迷，戏疯子！

红卫兵：谁？说清楚！

群　　众：说，说！

段小楼：程蝶衣！他是只管唱戏，他不管台下坐的是什么人，什么阶级，他都卖力地唱，玩命地唱！

红卫兵：你避重就轻！

段小楼：没有，没有。

红卫兵：你不老实！

群　　众：（喊口号）段小楼不投降，就叫他灭亡！

段小楼：抗日……抗日战争刚刚开始，他就给日本侵略者唱堂会，他……他就……他就当了汉奸！

群　　众：（喊口号）打倒程蝶衣！打倒程蝶衣！

段小楼：他给国民党伤兵唱戏，给北平戏园反动头子唱戏，给资本家唱，给地主老财唱，给太太小姐唱，给地痞流氓唱，给宪兵警察唱，他，给大戏霸袁世卿唱！

群　　众：（喊口号）打倒程蝶衣！

红卫兵：再说！还有呢？说！说，说！

段小楼：他抽大烟，他抽起大烟来没命。不知抽光了多少劳动人民的血和汗！

红卫兵：揭！揭实质问题！

群　众：说！说！说！说！打倒程蝶衣！说，说！

菊　仙：小楼！

红卫兵：说！

段小楼：他为了讨好大戏霸袁世卿，他……你有没有？他给袁世卿他
　　　　当……当了……

菊　仙：小楼！

段小楼：你有没有……你当了……你当……你当……当了……

群　众：（喊口号）横扫一切牛鬼蛇神！

段小楼：才子佳人，帝王将相。牛鬼蛇神，牛鬼蛇神！

程蝶衣：你们都骗我！都骗我！我也揭发！揭发姹紫嫣红！揭发断壁残
　　　　垣！段……段小楼！你……你天良丧尽，狼心狗肺！空剩一张人
　　　　皮了！自打你贴上这个女人……我就知道完了，什么都完了！你
　　　　当今儿是小人作乱，祸从天降？不是！不对！是咱们自个儿一
　　　　步一步，一步步走到这步田地来的报应！我早就不是东西了，可
　　　　你楚霸王都跪下来求饶了！那这京戏它能不亡吗？能不亡吗？报
　　　　应！报应！我还要揭发！就是她！她是什么人啊？我来告诉你们
　　　　她是什么人！臭婊子，淫妇！她是花满楼的头牌妓女潘金莲！斗
　　　　她！去斗她，斗她呀！斗她！斗！斗死她！斗死她！

红卫兵：段小楼，她是不是妓女？是不是？说！

段小楼：是……

红卫兵：你爱她吗？嗯？爱不爱？

段小楼：不，不，不爱！不爱她。

红卫兵：真的不爱？

段小楼：真的不爱，真的……我真的不爱她！我跟她划清界限。我从此跟
　　　　她划清界限了！我跟她划清界限啦！我跟她划清界限啦！

▶ 段小楼家

段小楼：菊仙！菊仙！

（画外音）（唱）"听奶奶讲革命，英勇悲壮！却原来，我是风里生雨里长……"

▶剧场

小　四：（唱）"汉兵已略地，四面楚歌声！"

【背景字幕：十一年后】

程蝶衣：（念）"大王，快将宝剑赐与妾身！"

段小楼：（念）"妃子，不，不……不可寻此短见呐！"

程蝶衣：（念）"大王，快将宝剑赐与妾身！"

段小楼：（念）"千万不可！"不灵了，不灵了！不跟趟了，老了！
　　　　（念）"小尼姑年方二八……"

程蝶衣：（念）"正青春被师父削去了头发……"

段小楼：（念）"我本是男儿郎……"

程蝶衣：（念）"又不是女娇娥！"

段小楼：错了！又错了！

程蝶衣：（念）"我本是男儿郎，又不是女娇娥！"好，来，我们再来！
　　　　（念）"大王，快将宝剑赐与妾身！"

段小楼：（念）"妃子，不，不……不可寻此短见呐！"

程蝶衣：（念）"大王，快将宝剑赐与妾身！"

段小楼：（念）"千万不可！"

程蝶衣：（念）"大王，快将宝剑赐与妾身！"

段小楼：（念）"千万不可！"

程蝶衣：（念）"大王，汉兵他……他……他杀进来了！"

段小楼：（念）"在哪里？"蝶衣！小豆子！

【背景字幕：一九九〇年，在北京举行了"纪念京剧徽班进京二百周年"的庆祝演出活动】

12 答案
Keys

01 学戏
   判断对错
   1. F 2. F 3. T 4. F 5. T
   选择与画线部分意思最接近的词语
   1. A 2. C 3. B 4. C 5. A 6. B 7. A 8. C

02 疯魔
   判断对错
   1. T 2. T 3. F 4. F
   选择与画线部分意思最接近的词语
   1. C 2. A 3. B

03 假霸王 真虞姬
   判断对错
   1. F 2. F 3. T 4. T 5. T
   选择正确答案
   1. C 2. D 3. B 4. C 5. C

04 救人
   判断对错
   1. T 2. F 3. T 4. F 5. F
   选择与画线部分意思最接近的词语
   1. A 2. B 3. A 4. C 5. B

05 综合练习（一）
一、把所给词放在合适的位置
   1. D 2. A 3. A 4. C 5. B 6. B 7. B 8. C 9. D 10. D
二、选择合适的词语填空
   1. 干脆 2. 厚道 3. 抬举 4. 能耐 5. 嫌弃 6. 念叨 7. 解难 8. 赏光 9. 当真 10. 成全

三、选择正确答案

1. C　2. C　3. D　4. B　5. B　6. C　7. A　8. C　9. D　10. B

06　送剑

判断对错

1. F　2. F　3. F　4. T

选择正确答案

1. C　2. B　3. C　4. C　5. B

07　适应新社会

判断对错

1. T　2. F　3. F　4. T

选择与画线部分意思最接近的词语

1. A　2. C　3. B　4. C

08　审问

判断对错

1. F　2. F　3. F　4. T

10　综合练习（二）

一、选择合适的词语填空

1. 瞎　2. 冤　3. 遭　4. 保　5. 谱儿　6. 闹　7. 实　实　8. 了

二、选择正确答案

1. A　2. D　3. C　4. D　5. D　6. A　7. C　8. B